Libre et responsable

OFFICE DE CATÉCHÈSE DU QUÉBEC

Libre et responsable

Conduire ma vie à la lumière de l'Évangile

FIDES • MÉDIASPAUL
FORMATION CHRÉTIENNE

Cet ouvrage de l'Office de catéchèse du Québec a été approuvé par un représentant de l'Assemblée des évêques catholiques du Québec.

Conception graphique et mise en pages
Robert Dolbec

Illustrations
Stéphane Jorisch

Conception et rédaction
Nicole Durand-Lutzy

Collaboration
Ghislain Bédard
Mario Mailloux

Révision linguistique
Bruno Ronfart

Évêque accompagnateur
Mgr Bertrand Blanchet

Toutes les citations bibliques sont tirées de la Bible en français courant, *Bonne nouvelle… pour toi!*, publiée par la Société biblique française.

Catalogage avant publication de Bibliothèque et Archives Canada

Durand-Lutzy, Nicole

Libre et responsable : conduire ma vie à la lumière de l'Évangile. Livre des jeunes

ISBN 2-89499-035-9

1. Enfants – Morale pratique – Ouvrages pour la jeunesse. 2. Catéchèse – Manuels pour enfants – Église catholique. 3. Éducation morale – Ouvrages pour la jeunesse. I. Office de catéchèse du Québec. II. Titre.

BJ1632.D87 2005   170'.83'4   C2005-941753-6

Dépôt légal : 4e trimestre 2005
Bibliothèque nationale du Québec
© Éditions FPR, 2005

Les Éditions FPR reconnaissent l'aide financière du gouvernement du Canada, par l'entremise du Programme d'aide au développement de l'industrie de l'édition (PADIÉ), pour leurs activités d'édition.

IMPRIMÉ AU CANADA EN NOVEMBRE 2005

Nous remercions l'Ordre des Chevaliers de Colomb pour son soutien au chantier Passages.

FIDES · MÉDIASPAUL
FORMATION CHRÉTIENNE

Bonjour tout le monde !

Nous sommes un groupe de jeunes. Nous aimons avoir du plaisir ensemble et tout nous intéresse… ou presque! Ce que nous aimons le plus, c'est discuter ensemble. Chacun de nous rencontre de petits problèmes dans sa vie, et nous avons décidé de rassembler nos forces pour essayer de trouver des solutions. Nous sommes devenus des spécialistes de résolutions de problèmes. Notre façon de faire est simple: nous en parlons entre nous et nous y pensons à deux fois pour examiner toutes les solutions. Nous choisissons ensuite la meilleure solution possible. Depuis ce temps, tout va beaucoup mieux! Voilà notre secret pour avoir une belle vie…

Nous te proposons de participer à nos discussions. Commençons tout d'abord par nous présenter…

On m'appelle **Monsieur F.** parce que je suis passionné de Formule 1. Un jour, je vais devenir pilote automobile… du moins je l'espère! Ma force : je suis très drôle. Cependant, l'impatience me cause parfois des problèmes.

On m'appelle **Mademoiselle P.** parce que je veux toujours en savoir plus sur les pays du monde. J'ai déjà visité la ville où je suis née au Vietnam. J'étais émue de voir notre maison et la petite école où je suis allée à la maternelle. Ma force : j'ai beaucoup d'imagination. Cependant, je suis très mauvaise perdante.

On m'appelle **Monsieur B**, parce que je joue de la batterie dans un band. J'aime aussi beaucoup le soccer. Je fais partie de l'équipe de ma ville. Ma force : j'aime travailler en équipe. Cependant, j'ai parfois de la difficulté à m'entendre avec les autres...

On m'appelle **Mademoiselle T.** parce que je fais beaucoup de tennis, le plus souvent possible. L'année dernière, j'ai gagné le championnat de ma catégorie. Depuis quelques années, je prends des cours de percussion. Mes parents disent que j'ai du talent ! Ma force : je suis une fonceuse. Cependant, il m'arrive parfois de me décourager et d'avoir envie d'abandonner en cours de route.

?

- Si tu te présentais, que dirais-tu à ton sujet ?

Quelques clés du bonheur

Après plusieurs heures de discussions et de réflexion, nous avons adopté des repères pour nous aider à résoudre des problèmes de toutes sortes. Ils nous éclairent et nous guident dans nos décisions. Ils sont simples à comprendre et très importants à retenir, même pour des adultes !

Comme tu le sais sans doute, la plupart d'entre nous sont chrétiens. Nous nous posons des questions et nous croyons que Jésus nous a ouvert un chemin pour mener une belle vie. Nos repères tiennent compte de notre foi. Voici nos repères...

NOUS SOMMES DES ÊTRES PLEINS DE DIGNITÉ.
QU'EST-CE QUE CELA SIGNIFIE ?

■ **Nous avons droit au respect !** Nous avons une conscience. Je veux dire que nous sommes capables de penser et de réfléchir, d'éprouver des sentiments, de vivre avec nos émotions et d'identifier nos besoins. Autrement dit, nous ne sommes pas des marionnettes, prêtes à nous laisser entraîner dans n'importe quoi. Avant d'agir, nous pouvons nous arrêter, ouvrir nos yeux et nous interroger sur le pour et le contre de nos choix... même si on ne le fait pas toujours.

■ **Nous sommes des êtres libres.** Par exemple : je peux choisir de jouer ou non au soccer ; je peux exprimer mon opinion, mon accord et mon désaccord ; je peux choisir mes amis ; je peux donner une partie de mon argent de poche pour venir en aide à quelqu'un ou à un groupe. Tu peux toi-même trouver d'autres exemples. Nous avons aussi des limites : nous ne pouvons pas faire tout ce qui nous passe par la tête, et nous sommes tenus de respecter les lois de notre société, de notre famille, de notre école, même si elles ne font pas toujours notre affaire. Malgré tout, il nous reste une bonne marge de manœuvre.

- ■ **Nous sommes des personnes responsables**, c'est-à-dire capables d'assumer les conséquences de nos choix. Pas question d'accuser les autres ou de chercher toutes sortes d'alibis, même si on le fait parfois! Puisque nous sommes des êtres conscients, nous pouvons réfléchir et découvrir les conséquences de nos choix. Avant d'agir, nous disons «oui» à ces conséquences positives ou négatives. Par exemple: «je n'ai pas le goût d'étudier». Je prends le temps de réfléchir… Si je choisis de regarder la télé, je risque d'avoir de mauvaises notes. Après avoir pesé le pour et le contre, je prends la décision, librement, en assumant les conséquences qui en découlent.

- ■ **En tant que chrétiens, nous croyons que nous sommes créés à l'image de Dieu**, ce qui donne une grande valeur à notre dignité. Autrement dit: «Tu es libre de faire ce que tu veux. Mais tu ne peux pas faire n'importe quoi car tu n'es pas n'importe qui.» Tu es à l'image de Dieu.

Étant chrétienne, je me suis demandé si Jésus, dans son temps, respectait la conscience, la liberté et la responsabilité des personnes qu'il rencontrait. Je crois que oui. Des récits bibliques le montrent. Par exemple : Jésus a invité Pierre, Jacques, Jean et bien d'autres à devenir ses disciples sans les forcer et les obliger.

Je me rappelle aussi du jeune homme qui est venu demander à Jésus quoi faire, en plus de suivre la Loi, pour être heureux. Jésus lui a proposé de vendre ses biens et de les donner aux pauvres. Le jeune homme est parti. Jésus n'a pas insisté. Il a respecté sa liberté.

Un jour de sabbat, Jésus a guéri un homme à la main paralysée. Les Pharisiens observaient Jésus qui leur a alors demandé : « Est-il permis de faire le bien le jour du sabbat ? » En posant cette question, Jésus a fait appel à la conscience des Pharisiens, à leur capacité de réfléchir et de voir clair. Rappelle-toi la parabole du Bon Samaritain. À travers cette histoire, Jésus a invité chaque personne à s'ouvrir à son prochain, à devenir responsable de ses gestes et de ses paroles envers les autres.

Te souviens-tu de la promesse que Jésus a faite à ses disciples avant de partir définitivement ? Il leur a promis d'envoyer son Esprit. C'est ainsi qu'il continue à être présent au milieu de nous et à nous inspirer même si nous nous sentons seuls parfois. Il est là lorsque nous entrons en relation avec les autres, lorsque nous avons des choix à faire. Il nous accompagne. Il est avec nous. C'est ce en quoi nous croyons. Nous aimons nous le rappeler.

NOUS SOMMES DES ÊTRES DE RELATION.
QU'EST-CE QUE CELA SIGNIFIE ?

■ Nous entrons continuellement en relation avec les autres. Comme moi, tu en fais tous les jours l'expérience. À mon avis, nos relations sont plus importantes que toutes les richesses que nous pouvons nous procurer. Comme tu le sais, on ne peut pas acheter l'amitié avec de l'argent ! La personne a des droits comme le reconnaît la Charte universelle des droits humains. Par exemple : le droit à la vie, à l'éducation, à la protection de sa réputation, à l'exercice de sa liberté, à la reconnaissance de sa dignité. Les gens qui ne respectent pas ces droits peuvent être poursuivis en justice.

■ **Vivre en relation** signifie respecter les autres, c'est-à-dire ne pas les traiter comme des objets, mais reconnaître leur dignité, avoir de la sympathie pour eux et être sensible à leurs besoins. En retour, les autres auront tendance à nous traiter aussi avec respect et dignité. Nous ne sommes pas des choses, mais des personnes capables d'amour et d'amitié.

Jésus a-t-il respecté les autres ? A-t-il eu de l'affection pour les autres ? Je crois que oui. Jésus a eu des amis et il a pleuré en apprenant la mort de Lazare ; il a eu de la peine pour la veuve qui s'en allait enterrer son fils unique ; il a admiré la générosité de la dame pauvre qui a donné le peu qu'elle avait aux plus pauvres qu'elle ; il a pris les enfants dans ses bras ; il a osé manger avec des gens de mauvaise réputation ; il a parlé avec la Samaritaine alors que la Loi l'interdisait.

Jésus a contribué au bien-être des autres. Il a reconnu leurs peines et leurs besoins. Il était d'une grande bonté. Pour lui, chaque personne est un trésor si précieux qu'il nous invite même à aimer nos ennemis. Voici quelques paroles qu'on peut lire dans la Bible et qui continuent d'inspirer les croyants d'aujourd'hui.

Aime ton prochain comme toi-même.

Marc 12, 31

AIMEZ-VOUS LES UNS LES AUTRES.

Jean 13, 35

> Celui qui a deux chemises doit en donner une à celui qui n'en a pas et celui qui a de quoi manger doit partager.
>
> Luc 3, 11

> FAITES POUR LES AUTRES EXACTEMENT CE QUE VOUS VOULEZ QU'ILS FASSENT POUR VOUS.
>
> Luc 6, 3

> AIMEZ VOS ENNEMIS ET PRIEZ POUR CEUX QUI VOUS PERSÉCUTENT.
>
> Matthieu 5, 44

Nous avons besoin de courage pour faire les choix qui sont les meilleurs pour nous et pour les autres. Nous devons parfois mettre de côté nos préférences ou du moins faire quelques compromis. Jésus a eu plein de courage !

?
- *Que penses-tu de nos repères ?*
- *Quelles paroles de Jésus te touchent particulièrement ? Dis pourquoi.*

Une façon de faire

Il nous est arrivé plusieurs fois de ne pas savoir comment
résoudre un problème. Monsieur B. proposait de commencer
par une discussion alors que je voulais prendre immédiatement
une décision. On s'obstinait tout le temps. Finalement, on s'est
entendu pour suivre une démarche bien précise.
Nous te proposons de la suivre tout en n'oubliant jamais
nos fameux repères. Voici les étapes de la démarche telles
que je les ai écrites dans mon carnet.

☑ 1. **Quel est mon problème?**

☑ 2. **Quels sont les aspects du problème?**

☑ 3. **Quels sont les choix qui s'offrent
à moi et leurs conséquences?**

☑ 4. **Qu'est-ce que je veux vraiment? Quelle
serait la meilleure décision? Sur quels
repères est-ce que je m'appuie pour
prendre cette décision?**

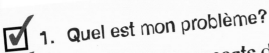

1 PROBLÈME   **2 ASPECTS**

CHOIX 3   **DÉCISION 4**

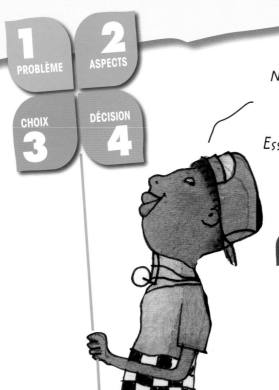

Nous t'invitons à te joindre à notre groupe
qui se spécialise dans la résolution de
problèmes. Un groupe bien spécial.
Essaie de te mettre à la place de la personne
qui vit le problème. Bonne chance !

?

- *Tu peux discuter de ta démarche
avec tes amis ou des adultes de
ton entourage.*

Des chaussures à la mode !

1 PROBLÈME

J'ai un gros problème !

Depuis quelques mois, je fais des petits travaux pour les voisins. Avec mes épargnes, je veux m'acheter des nouvelles chaussures de soccer, les plus à la mode, celles que tout le monde veut ! Je suis content et un peu malheureux en même temps parce que ma mère vient de perdre son emploi. Hier, je suis allé au magasin pour acheter mes chaussures. Je les ai regardées à travers la vitrine. Je n'étais plus certain de ce que je voulais faire : donner mes économies à mes parents et les aider à payer des comptes, ou acheter ce dont je rêve depuis longtemps. J'ai travaillé tellement fort pour amasser la somme d'argent nécessaire. Je ne sais plus quoi faire… Mets-toi à ma place et réfléchissons-y ensemble à deux fois. Je ne veux surtout pas regretter ma décision !

1 PROBLÈME **2 ASPECTS**

Quels sont les différents aspects du problème ?

Premier aspect

Suivre la mode

La mode ne se limite pas aux chaussures et aux vêtements. Les revues sont remplies d'objets « mode » : des casquettes, des sacs à dos, des planches à roulettes, des chandails aux noms d'équipes sportives, des livres, des bijoux tendance et bien d'autres choses encore. Ce n'est pas tout. Il y a des groupes de musique à la mode, des émissions de télé, des disques, des sports, des jeux vidéo, des manières de parler, des styles de coiffure et autres.

La mode est-elle plus que les apparences ? Lorsque tu achètes un vêtement ou un disque à ton goût, lorsque tu choisis un style de coiffure plutôt qu'un autre, tu explores ce qui te convient et tu affirmes tes préférences. Tu dévoiles un peu qui tu es. C'est une façon de dire aux autres : «Je ne suis pas n'importe qui. Je suis moi.» À travers ton apparence, les gens de ton entourage peuvent découvrir un peu plus ta personnalité. Ils sont peut-être étonnés de constater que tu as des goûts bien personnels et que tu n'es plus un enfant. Il faut être patient… laisse-leur le temps de te connaître et de s'adapter aux changements.

Est-ce important de suivre la mode pour que les autres nous acceptent ? Il t'arrive peut-être de lancer cet argument choc à tes parents : «Tout le monde en a ! Tout le monde le fait !» Personne n'aime être mis de côté ! C'est bon de sentir qu'on est accepté et apprécié, qu'on fait partie d'un groupe à part entière.

Chaque personne est importante, comme te le dit Jésus à travers une parabole toute simple qu'il a racontée à ses disciples. Tu la connais sans doute : la parabole de la brebis perdue et retrouvée. C'est l'histoire d'un homme qui possède cent brebis. Un jour, une d'entre elles s'égare. Que fait-il ? Il laisse ses quatre-vingt dix-neuf brebis sur la colline et part à la recherche de celle qui lui manque. Non pas parce qu'elle est parfaite, mais parce qu'elle est importante, parce qu'elle est irremplaçable. Il la retrouve et soupire de joie (Jean 15, 1-7). Jésus te dit que l'attachement à une personne ne dépend pas de ce qu'elle possède, mais de ce qu'elle est, aussi imparfaite soit-elle.

ATTENTION AUX PIÈGES

Les messages publicitaires donnent parfois l'impression qu'il faut absolument se procurer tel ou tel objet pour être populaire et bien dans sa peau. Demande-toi s'il suffit de suivre la mode pour avoir des amis. Demande-toi si la confiance en toi dépend seulement de ce que tu portes et de ce que tu possèdes. Demande-toi si les apparences sont plus importantes que tout.

Perçois-tu un autre piège ?

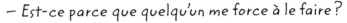

Pensons-y à deux fois... *Pourquoi est-ce que je veux m'acheter des chaussures à la mode ?*

— *Est-ce parce que quelqu'un me force à le faire ?*

— *Est-ce pour faire comme les autres et être mieux accepté ?*

— *Est-ce pour me sentir mieux dans ma peau ?*

— *Est-ce pour montrer aux autres que je suis meilleur qu'eux ?*

- *Mets-toi à la place de monsieur B. et réponds à chacune de ses questions.*
- *Jésus n'a pas parlé de la mode. En te basant sur ses paroles et sa manière d'agir, imagine ce qu'il dirait. Tu peux demander à des chrétiens ce qu'ils en pensent et comparer leurs points de vue au tien.*

Deuxième aspect

Aider ma famille

Le chômage a des conséquences sur toute la famille. Perdre son emploi n'est jamais une partie de plaisir. Les parents s'inquiètent et réagissent de différentes façons : certains se sentent tristes alors que d'autres deviennent « soupe au lait ». Il y en a qui s'enferment et refusent d'en parler ou font semblant que tout est correct alors que d'autres partagent leurs soucis et demandent de l'aide. Les adultes comme les jeunes ne réagissent pas  tous de la même manière lorsqu'ils ont de la peine ou qu'ils font face à un problème. Il en est de même pour toi : que fais-tu lorsque tu as des difficultés ? T'enfermes-tu dans ta chambre ? Te confies-tu à quelqu'un ?

Est-ce important d'aider sa famille ? Imagine qu'une inondation frappe la ville où tu demeures. Ta maison est épargnée, mais bien des gens ont tout perdu. Des gens qui ne sont pas tes amis personnels. Tu décides de leur venir en aide en offrant tes services au Centre de dépannage. Tu prépares des repas, tu

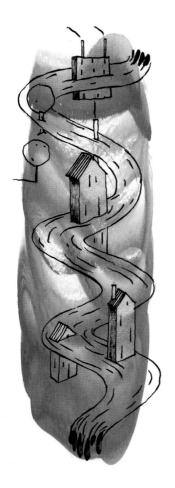

amuses les enfants et loges une famille. Tu donnes de ton temps alors que tu avais prévu de faire un petit voyage. C'est ta manière à toi de dire aux personnes inondées : « Vous n'êtes pas seules. Nous sommes ici. Nous allons vous aider. » Tu fais équipe avec elles pour relever un défi et partager leurs difficultés.

Rappelle-toi ce que le cousin de Jésus a dit au sujet du partage : donner une tunique à ceux qui n'en ont pas et de la nourriture à ceux et celles qui ont faim (Luc 3, 11). Jean n'a pas dit de se priver de vêtements ou de nourriture, mais de partager. Voilà ce que Jésus a fait pendant toute sa vie ! Il donne sans rien attendre en retour et t'invite à faire de même. Un jour, il dit à ses disciples : « Quand tu offres un repas de fête, invite les pauvres, les infirmes, les boiteux et les aveugles. Tu seras heureux, car ils ne peuvent pas te le rendre. Dieu te le rendra… » (Luc 14, 8-10). Aimer les autres à la manière de Jésus ne se fait donc pas seulement avec des mots. Des chrétiennes et des chrétiens d'aujourd'hui aiment à la manière de Jésus. Essaie d'en identifier dans ton entourage.

Les journaux rapportent parfois des événements où des gens se serrent les coudes comme le souhaite Jésus. Tu as peut-être toi-même vécu une telle expérience. La vie de famille t'offre des occasions de vivre l'entraide à travers le partage des tâches, le respect des règles de conduite, l'organisation de fêtes, et autres. La solidarité peut t'apporter beaucoup de satisfaction personnelle : ça fait du bien de voir qu'on peut contribuer à améliorer les choses et même à rendre des gens plus heureux. Cependant, il n'est pas toujours facile de donner un coup de main : il faut faire des concessions, reporter un projet d'achat ou parfois y renoncer. Mais comme ça fait du bien de recevoir de l'aide lorsqu'on en a besoin !

ATTENTION AUX PIÈGES Aider les autres ne signifie pas t'oublier complètement. Tu dois toujours tenir compte de tes limites et respecter tes besoins essentiels. Si tu rencontres des personnes qui t'obligent à poser des actes qui te font du tort ou qui nuisent aux autres, tu dois te méfier. Pose-toi des questions et informe-toi auprès d'adultes en qui tu as confiance. Perçois-tu d'autres pièges ?

Pensons-y à deux fois... Pourquoi aider ma famille?

— Que peut m'apporter le partage avec ma famille?

— Que peut apporter ma contribution à ma famille?

— Qu'est-ce que cela exige de ma part?

— Puis-je reporter mon projet? Si oui, qu'est-ce que cela exigerait de ma part?

- Mets-toi à la place de monsieur B. et réponds à ses questions.
- Jésus n'a pas parlé particulièrement d'aide à la famille. En te basant sur ses paroles et sa manière d'agir, imagine ce qu'il dirait là-dessus. Tu peux aussi demander à des chrétiens ce qu'ils en pensent.

Quels sont mes choix et leurs conséquences?

Selon moi, je n'ai pas un million de choix!
Je peux:

— acheter mes chaussures à la mode;

— donner toutes mes économies à mes parents et reporter mon projet d'achat;

— discuter avec mes parents et leur proposer un compromis.

- Ai-je un autre choix? Si oui, lequel?
- Imagine les conséquences qui découlent de chacun de mes choix.

Je réfléchis à deux fois à l'aide de nos repères, p. 7 à 11.

— **Je suis une personne consciente, libre et responsable.**
Personne ne m'oblige à acheter des nouvelles chaussures ou à aider ma famille. Pourquoi acheter mes chaussures maintenant? Pourquoi aider ma famille?

— **Mes relations avec les autres sont très importantes.**
Comment puis-je sympathiser avec ma famille? Comment puis-je exprimer mon affection? Comment puis-je retirer de la satisfaction en aidant les autres?

?
• Mets-toi à la place de monsieur B. Quelle décision prendrais-tu?
• Sur quels points de repère est-ce que tu t'appuies pour prendre une décision?

De l'eau à profusion ?

1 PROBLÈME

Un problème planétaire !

Mon ami Jonathan est génial ! Il y a deux jours, il est venu chez moi. Ça a été super ! Son seul défaut : il est trop écolo pour moi. Quand je suis sorti de la douche, il m'a demandé : « Prends-tu toujours des douches aussi longues ? Quand tu te brosses les dents, laisses-tu couler l'eau du robinet ? Quand tu utilises la soie dentaire, la jettes-tu dans la toilette et tires-tu la chasse d'eau ? » J'ai dû répondre oui à toutes ces questions. Je l'aime bien, mais je trouve qu'il y va un peu fort ! Je lui ai dit que j'avais le droit de faire ce que je voulais. Je suis libre et je ne veux pas changer mes habitudes. Pourquoi devrais-je faire attention à l'eau alors que nous en avons en abondance ? De l'eau, il y en aura toujours. Mais hier, j'ai vu mon père laver son auto avec le tuyau d'arrosage et l'eau de la rivière, derrière la maison, est devenue toute mousseuse. Ça m'a fait réfléchir... À mon âge, je me demande si je suis responsable de l'environnement. J'aimerais avoir ton avis à ce sujet.

Premier aspect

Une ressource nécessaire

Dans la vie quotidienne

Tout comme toi, Monsieur F. se douche, se brosse les dents et utilise les toilettes. L'eau influence ton mode de vie. Pour le vérifier, fais une promenade imaginaire en compagnie de Monsieur F. Visite son école, sa maison et son quartier. Observe les objets qui ont rapport à l'eau et classe-les en deux colonnes dont l'une pourrait s'intituler « Nécessité » et l'autre « Plaisir ». Tu verras un peu mieux la place qu'occupe l'eau dans ton quotidien.

À l'école, il y a des abreuvoirs, des robinets et des toilettes. Dans son quartier, il y a des lave-autos et des égouts qui empêchent l'eau de pluie d'inonder les rues. Chez lui, en plus des robinets et des toilettes, il y a un bain, une douche, une lessiveuse, un lave-vaisselle et un tuyau d'arrosage. Une rivière coule derrière la maison. C'est là que Monsieur F. et ses amis ont appris à pêcher, à nager et à faire du canot. Dans cette rivière, un barrage retient l'eau et en fait un réservoir, une sorte de lac artificiel pour accumuler l'eau que la ville purifie pour la rendre potable. L'eau qui s'écoule par-dessus le barrage fait tourner une turbine qui ressemble à une grosse roue d'eau. Ainsi, l'eau qui tombe produit de l'énergie. La turbine tourne comme un moteur et fabrique de l'électricité sans polluer. L'eau est une vraie merveille ! Qu'ajouterais-tu à cette liste ?

Des bienfaits

Ta promenade imaginaire t'a sans doute fait découvrir que l'eau est importante. Elle est aussi belle à voir. As-tu déjà eu l'occasion d'aller au bord de la mer ou de marcher en bordure du fleuve? L'eau s'étend à perte de vue. Parfois calme et parfois agitée, elle est d'une force incroyable. Les vagues de la mer peuvent arracher des débris de roches aux falaises et les transformer en galets, puis en sable. Rappelle-toi le tsunami de 2005 survenu en Asie: l'eau en furie a tout emporté sur son passage blessant et tuant bien des gens. Ceux et celles qui en sont revenus se souviendront de cette expérience jusqu'à la fin de leurs jours.

Comme tu le sais, l'eau purifie. Elle est essentielle à l'hygiène corporelle et sert aussi à nettoyer les fruits et les légumes. Avant une intervention chirurgicale, les médecins se lavent et se brossent les mains très longtemps afin d'éviter les infections.

Pendant sa vie, Jésus a guéri des malades en se servant de l'eau. Un aveugle raconte ainsi ce qui lui est arrivé: «L'homme appelé Jésus a fait un peu de boue, il en a frotté mes yeux et m'a dit: "Va à la piscine de Siloé te laver la figure." J'y suis allé et, après m'être lavé, je voyais!» (Jean 9, 11).

L'eau procure du plaisir. En été, tu pratiques peut-être des sports aquatiques: la pêche, la nage, le plongeon, le ski nautique, la planche, le voilier, le pédalo, le canot et autres. En hiver, la neige ou la glace te permettent d'aller glisser, de faire du ski, de la planche à neige et du patin. Qu'ajouterais-tu? Tu peux compléter la liste en deux colonnes.

L'eau et la vie

L'eau représente la vie. Elle nourrit la terre, les fleurs et les potagers. Les arbres puisent dans la terre l'eau nécessaire à leur vie. Elle est indispensable à la survie des espèces animales: l'eau de pluie permet aux oiseaux de boire et de laver leur plumage; les castors bâtissent leurs maisons dans l'eau; les canards construisent leurs nids tout près de l'eau. Que feraient les grenouilles et les tortues sans eau? Essaie d'imaginer un ours polaire sans glace. Trouve d'autres exemples.

Il en est de même des êtres humains. N'oublie pas que tu as passé les premiers mois de ta vie dans l'eau! Ton corps en contient une grande quantité: le corps d'un adulte moyen est composé de 65% d'eau. Pour maintenir cet équilibre, il doit consommer environ 2,5 litres d'eau par jour fournis par les aliments, l'eau, des jus ou tout autre liquide. Verse cette quantité d'eau dans un bocal pour avoir une meilleure idée de ce que cela représente. Si tu vis dans un climat chaud et que tu fais une activité physique particulière, tu devras en consommer davantage.

L'eau et l'alimentation sont comme les deux doigts de la main. Le poisson fait partie du menu quotidien de bon nombre d'habitants de la planète. L'eau est nécessaire à la préparation et à la cuisson des aliments. Aujourd'hui, bien des industries dépendent de la mer: le pétrole et le gaz naturel viennent du sous-sol marin. Certains médicaments anticancéreux sont extraits d'éponges marines. Le dessalement de l'eau de mer fournit de l'eau potable.

Qu'en disent les grandes religions?

Dans toutes les grandes religions du monde, l'eau représente la vie. Pour les Juifs, l'eau évoque le passage de la mer Rouge, ce jour extraordinaire où ils ont quitté l'Égypte et commencé une vie nouvelle. Rappelle-toi l'histoire de Noé que tu peux lire dans la Bible. Le texte raconte que Dieu a envoyé un déluge pour nettoyer et purifier la terre. Pour Jésus et le peuple juif, l'eau est signe de la bonté de Dieu, comme le dit ce psaume que les Juifs chantent encore aujourd'hui à la synagogue. N'oublie pas qu'il s'agit d'une prière et non d'une explication scientifique:

> Je veux dire merci au Seigneur!
> Tu conduis l'eau des sources dans les ruisseaux,
> elle se faufile entre les montagnes.
> Tous les animaux peuvent venir y boire,

et l'âne sauvage y calme sa soif.

À proximité, les oiseaux ont leurs nids,

et chantent à l'abri du feuillage.

Du haut du ciel, tu fais pleuvoir sur les montagnes ;

tu veilles à ce que la terre ait assez d'eau.

Psaume 104, 1.10-13

Pour les chrétiens, l'eau représente la vie nouvelle : Jésus lui-même est entré dans le Jourdain pour se faire baptiser par son cousin Jean (Matthieu 3, 13-17). Poussé et habité par l'Esprit d'amour de son Père, il a commencé sa mission : annoncer l'amour de Dieu (Luc 4, 14). Le baptême chrétien représente l'entrée dans la grande famille des enfants de Dieu, aimés comme des fils et des filles.

Le rituel de l'eau est très important dans la religion hindoue. Au cours de leur vie, les croyants font un pèlerinage et se baignent dans le fleuve Gange pour prier et se purifier. Quant aux musulmans, ils arrêtent leurs activités cinq fois par jour pour prier Dieu. Ils doivent d'abord se laver pour se purifier. Ce rite s'appelle les ablutions. Comme tu vois, l'eau a aussi un caractère sacré.

La consommation d'eau dans le monde

Dans certains pays, des gens manquent d'eau pour vivre. Porte attention aux chiffres qui suivent. Les Canadiens sont les plus grands consommateurs d'eau au monde. Ils utilisent plus de 350 litres d'eau par jour par habitant. Cependant, 1/6 de la population mondiale (1,1 milliard de personnes) ne peut pas se procurer d'eau et 2/5 de la population mondiale (plus de 2,4 milliards de personnes) n'a pas ce qu'il faut pour purifier l'eau, c'est-à-dire la rendre potable. Pour mieux comprendre ce que ces chiffres signifient, imagine que 30 jeunes représentent la population mondiale. Cinq jeunes de ce groupe (1/6) ne peuvent pas se procurer d'eau et 12 jeunes (2/5) n'ont pas d'eau potable. Comment réagis-tu à ces chiffres ?

Les Africains utilisent seulement de 4 à 5 litres d'eau par jour pour manger, boire et se laver. Il n'y a que 24% de la population qui a de l'eau courante dans la maison ou la cour.

Dans notre pays, un enfant consomme 30 à 50 fois plus d'eau qu'un enfant né dans un pays pauvre. Dans les pays pauvres, bien des enfants meurent parce que l'eau est polluée. Les ressources en eau diminuent à un rythme très rapide parce que des tonnes de déchets sont jetées chaque jour dans les cours d'eau et polluent l'eau. L'eau a des ennemis dont elle doit se défendre de plus en plus. À ton avis, quels sont-ils ou qui sont-ils ?

ATTENTION AUX PIÈGES

Attention aux pièges ! On oublie parfois d'apprécier l'eau à sa juste valeur. Ce piège nous amène à la prendre pour acquise. Chaque jour, étonne-toi de cette richesse de la nature. Chaque jour, la marée monte et descend à cause de l'attraction de la lune et du soleil. L'immensité de la mer est un spectacle impressionnant. Toute l'année, il y a des courants qui sont poussés par les vents. Rappelle-toi que sans l'eau, il n'y a pas de vie et rappelle-toi les bienfaits de l'eau à ton égard.

Pensons-y à deux fois... Pourquoi est-ce que je ne suis pas porté à faire attention à l'eau ?
- Est-ce parce que je n'en manque jamais ?
- Est-ce parce que je ne suis pas conscient que l'eau est indispensable à la vie ?
- Est-ce parce que je pense que l'eau est une richesse inépuisable ?

- Mets-toi à la place de Monsieur F. et réponds à chacune de ses questions.
- Jésus mangeait du poisson et se servait parfois d'un bateau comme moyen de transport. Il a aussi utilisé l'eau pour guérir. Il n'a pas parlé directement des bienfaits de l'eau ni de sa consommation ni de sa pénurie. En te basant sur ses paroles et sa manière d'agir, imagine ce qu'il dirait à ce sujet. Tu peux demander à des chrétiens ce qu'ils en pensent

Suis-je responsable ?

Une chaîne humaine

Monsieur F. se pose une question : « À mon âge, je me demande si je suis responsable de l'eau et de l'environnement. » Qu'en penses-tu ? Imagine que le monde est une grande chaîne humaine. Ce qui arrive à l'un des maillons affecte toute la chaîne. Autrement dit, ce qui se passe dans un coin de l'univers risque de te toucher à plus ou moins long terme.

Sur une carte géographique, prends le temps de regarder les océans Pacifique, Atlantique, Indien, Arctique et Antarctique. Ces océans fournissent l'essentiel de l'oxygène dont nous avons besoin de même qu'une grande quantité de minéraux et de ressources alimentaires. L'eau de ces océans a des ennemis dont les humains qui polluent et gaspillent l'eau.

Une journée spéciale

Pour combattre ces ennemis, l'Assemblée générale des Nations Unies, l'ONU, a fait du 22 mars de chaque année la « Journée mondiale de l'eau ». Le 22 mars 2005, le Secrétaire général des Nations Unies a lancé le thème de la journée mondiale qui sera le même pendant dix ans : « L'eau, source de vie : 2005-2015 ». Ce jour-là, il a rappelé à toutes les nations que des millions de personnes partout dans le monde manquent d'eau. En quoi cette journée te concerne-t-elle ? Es-tu d'accord avec Monsieur F. pour dire : « Je suis libre après tout et je ne veux pas changer mes habitudes. » ?

Bonjour eau.
As-tu besoin d'aide ?

Une grande responsabilité

Depuis le début des temps, l'être humain est en charge de la Création. Dans la Bible, un poème écrit vers 580 avant Jésus-Christ rappelle aux humains leur responsabilité. Tu peux lire ce poème dans la Bible en te rappelant qu'il ne s'agit pas d'un récit scientifique, mais que l'Église le considère comme un texte sacré. En voici un petit extrait:

> *Dieu dit enfin: «Faisons les êtres humains à notre image et notre ressemblance!»*
>
> *Dieu créa les êtres humains comme une image de lui-même; il les créa homme et femme. Puis il les bénit en leur disant: «Ayez des enfants, devenez nombreux, peuplez toute la terre et dominez-la; soyez les maîtres des poissons dans la mer, des oiseaux dans le ciel et de tous les animaux qui se meuvent sur la terre.»*
>
> *Dieu vit que cela était très bon. Ce fut la sixième journée (d'après Genèse 1, 26-31).*

Des ennemis

Comment exercer cette responsabilité dont parle le poème? La journée mondiale est un pas dans la bonne direction, mais cela ne suffit pas. Chaque personne qui vit sur cette terre est un maillon de la chaîne humaine. Chaque personne peut lutter contre les ennemis de l'eau à travers des gestes simples, mais constants.

1. Le gaspillage: économiser pour partager

Comme tu le sais, certains pays manquent d'eau et des personnes en meurent. L'eau pure est de plus en plus rare et l'eau potable coûte de plus en plus cher. Pourquoi? Tout simplement parce que nous polluons l'eau avec les toilettes, lessives et nettoyages de toutes sortes. L'épuration des eaux coûte très cher, de sorte que le prix de l'eau augmente. Dans les années à venir, elle coûtera de 2 à 3 fois plus cher. Le compte de taxes de tes parents va aller en augmentant. Demande-leur ce qu'ils en pensent.

Notre mode de vie fait augmenter notre consommation: les piscines et les bains tourbillons sont à la mode. Cependant, la quantité d'eau souterraine n'augmente pas et n'augmentera jamais. Il est donc important de ne pas dépasser les limites et de sauvegarder les réserves pour que les générations qui te suivent ne manquent pas d'eau. Tu peux faire ta part en économisant l'eau. Voici quelques suggestions très simples, mais efficaces. Dans certains cas, tu auras besoin de sensibiliser tes parents à cette cause.

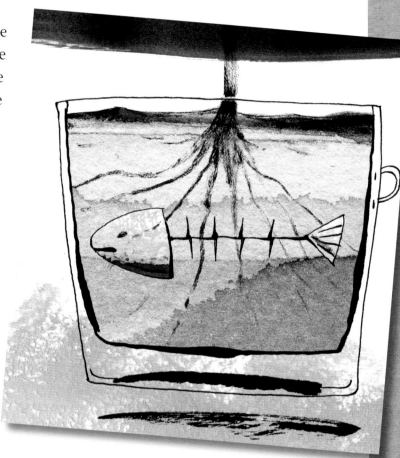

- ☐ Évite de laisser couler un robinet inutilement car cela peut consommer entre 10 et 20 litres par minute.
- ☐ Le plus souvent possible, prends une douche plutôt qu'un bain. La douche consomme environ 60 litres d'eau tandis que le bain en consomme entre 150 et 200 litres.
- ☐ Utilise un verre pour ne pas laisser couler le robinet lorsque tu te brosses les dents.
- ☐ Si possible, demande à tes parents d'installer des régulateurs de débit d'eau sur les robinets du lavabo et la pomme de douche.
- ☐ Utilise un seau d'eau pour laver la voiture plutôt que le tuyau d'arrosage.

Aurais-tu d'autres suggestions ?

2. La pollution : protéger pour préserver

Monsieur F. découvre quelque chose d'important : «Hier, mon père a lavé son auto avec le tuyau d'arrosage et j'ai vu l'eau de la rivière, derrière la maison, devenir toute mousseuse.» Monsieur F. avait déjà entendu parler de pollution, mais il en a pris davantage conscience en la voyant de ses yeux. Tu as peut-être déjà vécu une expérience semblable.

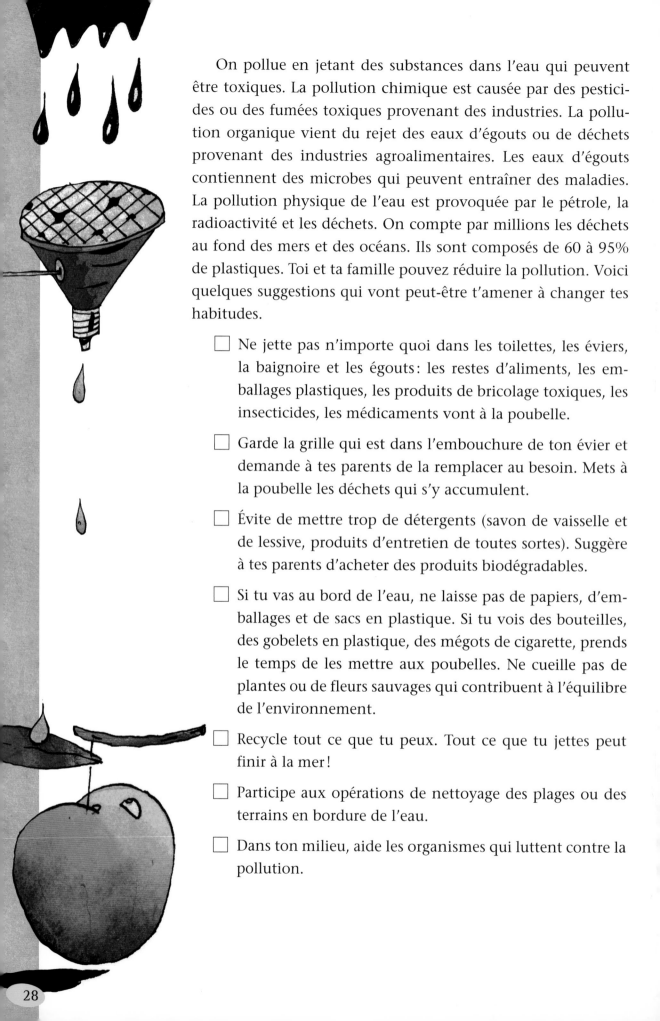

On pollue en jetant des substances dans l'eau qui peuvent être toxiques. La pollution chimique est causée par des pesticides ou des fumées toxiques provenant des industries. La pollution organique vient du rejet des eaux d'égouts ou de déchets provenant des industries agroalimentaires. Les eaux d'égouts contiennent des microbes qui peuvent entraîner des maladies. La pollution physique de l'eau est provoquée par le pétrole, la radioactivité et les déchets. On compte par millions les déchets au fond des mers et des océans. Ils sont composés de 60 à 95% de plastiques. Toi et ta famille pouvez réduire la pollution. Voici quelques suggestions qui vont peut-être t'amener à changer tes habitudes.

- [ ] Ne jette pas n'importe quoi dans les toilettes, les éviers, la baignoire et les égouts : les restes d'aliments, les emballages plastiques, les produits de bricolage toxiques, les insecticides, les médicaments vont à la poubelle.

- [ ] Garde la grille qui est dans l'embouchure de ton évier et demande à tes parents de la remplacer au besoin. Mets à la poubelle les déchets qui s'y accumulent.

- [ ] Évite de mettre trop de détergents (savon de vaisselle et de lessive, produits d'entretien de toutes sortes). Suggère à tes parents d'acheter des produits biodégradables.

- [ ] Si tu vas au bord de l'eau, ne laisse pas de papiers, d'emballages et de sacs en plastique. Si tu vois des bouteilles, des gobelets en plastique, des mégots de cigarette, prends le temps de les mettre aux poubelles. Ne cueille pas de plantes ou de fleurs sauvages qui contribuent à l'équilibre de l'environnement.

- [ ] Recycle tout ce que tu peux. Tout ce que tu jettes peut finir à la mer !

- [ ] Participe aux opérations de nettoyage des plages ou des terrains en bordure de l'eau.

- [ ] Dans ton milieu, aide les organismes qui luttent contre la pollution.

Que dit la Bible à ce sujet?

Dans le poème de la Création, il est écrit quelque chose d'important: « Yahvé Dieu prit l'homme et l'établit dans le jardin d'Eden pour le cultiver et le garder. » Autrement dit, la terre est un jardin confié à l'être humain pour le cultiver, c'est-à-dire le développer, et pour le garder, c'est-à-dire le développer de façon durable.

Suite à cette réflexion, es-tu d'accord avec Monsieur F. qui dit: «Je suis libre après tout et je ne veux pas changer mes habitudes»?

ATTENTION AUX PIÈGES

Notre mode de vie a un impact sur la santé de la nature et sur notre santé. La nature nous offre généreusement ses ressources, mais nous oublions parfois qu'elles sont limitées et que nos habitudes de vie peuvent perturber l'équilibre de la nature. Évite le piège de l'impuissance. Parfois, tu peux penser que tes actions ne changeront rien. Pourtant, chacun de tes gestes compte: c'est petit à petit que les grands changements se font… En tant que maillon de la grande chaîne humaine, tes actions sont très importantes.

Pensons-y à deux fois... Pourquoi me sentir responsable?

- Est-ce parce que je me sens obligé?
- Est-ce parce que l'environnement, c'est à la mode?
- Est-ce parce que je crois que c'est important?
- Est-ce parce que je crois que je peux changer quelque chose?

- *Mets-toi à la place de Monsieur F. et réponds à chacune de ses questions.*
- *Jésus n'a pas parlé directement de la responsabilité face à la nature et à l'eau particulièrement. En te basant sur ses paroles et sa manière d'agir, imagine ce qu'il dirait à ce sujet. Tu peux demander à des chrétiens ce qu'ils en pensent.*

Selon moi, je peux:

— continuer à ne pas faire attention à l'eau ou aux autres ressources de la nature;

— essayer d'utiliser un peu moins d'eau;

— changer mes habitudes d'utilisation de l'eau;

— changer mes habitudes et sensibiliser les autres.

- Ai-je un autre choix? Si oui, lequel?
- Imagine les conséquences qui découlent de chacun de mes choix.

Quelle décision serait la meilleure pour moi?

Je vais relire nos repères, p. 7 à 11, pour m'aider à voir ce que je veux vraiment.

— **Je suis une personne consciente, libre et responsable.**
Rien ne m'oblige à ignorer l'environnement ni à prendre soin de la nature. Pourquoi est-ce que je choisis de ne pas me sentir responsable de l'environnement? Pourquoi est-ce que je voudrais prendre davantage soin de la nature? Quelles conséquences ce choix pourrait avoir sur ma vie, sur ma relation avec moi-même, sur ma liberté?

— **Mes relations avec les autres sont très importantes.**
Quelles conséquences mon choix pourrait avoir sur les autres? Comment ne pas prendre soin de la nature pourrait-il affecter la vie des autres? Comment prendre soin de la nature pourrait-il affecter la vie des autres?

- Mets-toi à la place de Monsieur F. Quelle décision prendrais-tu?
- Sur quels points de repère est-ce que tu t'appuies pour prendre cette décision?

Je veux un nouveau cellulaire!

1 PROBLÈME

J'ai un problème!

L'année dernière, j'ai reçu en cadeau de mes parents le téléphone cellulaire rouge que j'avais demandé. Depuis, je peux appeler mes amis quand je veux et ils peuvent me joindre facilement. Mes parents aussi d'ailleurs! Mon amie Stéphanie en a reçu un qui a des fonctions que je n'ai pas, comme des jeux vidéo et la possibilité de faire des photos. La semaine dernière, j'en ai vu un super beau. J'ai envie de le demander pour ma fête dans une semaine. Pourquoi pas? Certaines personnes changent de cellulaire chaque année! Et je pourrais le montrer à mes amis! J'ai demandé l'avis de ma sœur qui m'a dit: «Le tien fonctionne bien: pourquoi tu le gardes pas? Tu veux tout le temps avoir des nouvelles affaires. On dirait que tu n'es jamais satisfait de ce que tu as.» Elle m'a fait hésiter: dois-je me débarrasser de mon téléphone et m'offrir celui qui est dernier cri, ou continuer à utiliser le mien? Qu'en penses-tu?

Premier aspect

Pourquoi consommer ?

Consommer pour ton bien-être

Nous vivons dans une société riche et abondante. Tu n'as qu'à regarder autour de toi pour le vérifier. Internet est un moyen extraordinaire pour communiquer avec une personne qui vit à l'autre bout du monde ou faire des recherches pour tes travaux scolaires. Tu peux même envoyer des photos par ordinateur. Si tes grands-parents demeurent loin de chez toi, imagine leur plaisir de t'apercevoir sur leur écran. Pense aux découvertes dans le domaine de la technologie médicale. Si tu es diabétique, tu peux trouver en pharmacie de nouveaux appareils qui mesurent presque sans douleur le taux de sucre dans ton sang. Du coup, le bien-être des personnes diabétiques est amélioré. Grâce aux échanges commerciaux entre les pays, tu peux maintenant entrer dans un supermarché près de chez toi et trouver des fruits et des légumes exotiques. Tes parents peuvent acheter une automobile japonaise, allemande, française, italienne ou américaine. Les CD

Wow ! Tu as le dernier disque de Wikidou ! Il va falloir que tu achètes leurs sept prochains albums si tu veux avoir la photo complète du groupe.

audios et vidéos viennent de partout. Toute cette abondance est possible grâce à l'intelligence humaine et aux ressources de la nature. Il y a de quoi se réjouir, tu ne trouves pas ? Jette un coup d'œil sur ce que tu possèdes. Sur une feuille, écris en colonne ce qui est utile à ton bien-être.

Consommer toujours plus

Il nous arrive de vouloir nous procurer des produits dont nous n'avons pas vraiment besoin. Monsieur F. désire avoir le modèle le plus récent de cellulaire. Tu peux le comprendre car il est agréable d'avoir du neuf, mais en a-t-il vraiment besoin ? Tous les jours, on t'invite à acheter de nouveaux produits et à acheter toujours plus. Parmi les choses que tu possèdes, qu'est-ce qui n'est pas nécessaire à ton bien-être ? Sur la feuille utilisée précédemment, écris ta réponse dans une deuxième colonne.

Consommer toujours plus et au-delà de ses besoins peut créer des injustices. Pour fabriquer leurs produits à bon marché, les grosses compagnies font souvent affaire avec des pays plus pauvres. Elles exploitent les gens en les payant très peu. Est-ce juste ? Savais-tu que 20 % seulement des habitants de la planète consomment 83 % des richesses de la planète ? Demande-toi qui profite de la surconsommation.

L'influence de la publicité

La publicité nous donne le goût d'avoir des produits que les compagnies vendent. Elle arrive parfois à nous convaincre que nous en avons vraiment besoin. Elle peut te faire croire que le jeu vidéo le plus récent ou le vélo le plus performant peut réussir à te combler de bonheur. Autrement dit, elle te promet presque le paradis.

Plus on achète, plus les compagnies font des profits et veulent vendre davantage. Des gens sont prêts à travailler très fort et même à s'endetter pour se payer les produits dernier cri, des objets qui procurent du plaisir, mais qui n'assurent pas nécessairement le bonheur. Sur la feuille utilisée précédemment, écris dans une troisième colonne les objets que tu possèdes parce que la publicité t'a fait croire qu'ils étaient indispensables pour avoir une belle vie. Tu auras peut-être des surprises !

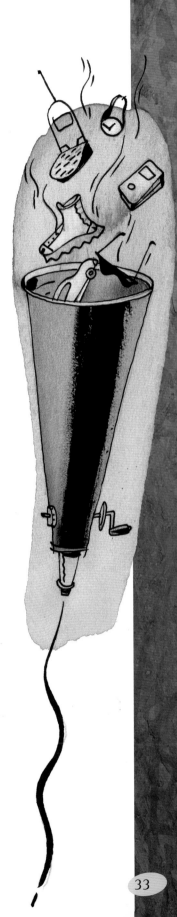

Que dit Jésus ?

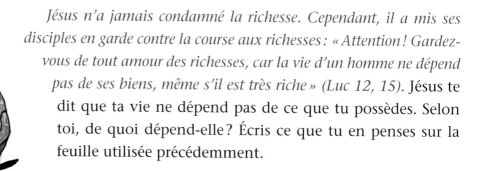

Jésus n'a jamais condamné la richesse. Cependant, il a mis ses disciples en garde contre la course aux richesses : «Attention! Gardez-vous de tout amour des richesses, car la vie d'un homme ne dépend pas de ses biens, même s'il est très riche» (Luc 12, 15). Jésus te dit que ta vie ne dépend pas de ce que tu possèdes. Selon toi, de quoi dépend-elle? Écris ce que tu en penses sur la feuille utilisée précédemment.

Lors de sa rencontre avec le jeune homme riche, Jésus donne une clé du bonheur. Ce jeune homme s'approche et lui demande : «Que dois-je faire pour avoir la vie éternelle?» Jésus l'invite à respecter les Lois de Dieu qui se résument à l'amour de Dieu et des autres. Le jeune homme lui répond qu'il les respecte déjà. Jésus le regarde avec bonté en disant : «Alors, vends ce que tu as, donne-le aux pauvres et suis-moi!» (Matthieu 19, 16-22). Les richesses ne suffisent pas à rendre heureux. Le jeune homme cherche quelque chose. On dirait qu'il manque quelque chose à son bonheur. À travers le jeune homme riche, Jésus appelle Monsieur F. à partager ce qu'il possède, mais aussi à prendre conscience que ce qu'il possède ne garantit pas son bonheur. Jésus l'invite à penser à ceux et celles qui n'ont pas le nécessaire pour vivre.

ATTENTION AUX PIÈGES

Ne tombe pas dans le piège des slogans publicitaires qui confondent bonheur et consommation. Prends le temps d'apprécier l'intelligence des gens qui créent et fabriquent des produits qui facilitent notre vie. Demande-toi comment profiter au maximum des choses que tu as déjà. Évite le piège de l'esclavage : tu peux consommer pour te procurer du bien-être, mais garde ta liberté. Personne ne t'oblige à consommer au-delà de tes besoins. Perçois-tu d'autres pièges ?

Pensons-y à deux fois... Pourquoi est-ce que je veux m'acheter un nouveau cellulaire ?

— Est-ce parce que j'en ai vraiment besoin ?

— Est-ce pour faire comme les autres ?

— Qu'est-ce que je gagne en ayant un nouveau cellulaire ?

— Est-ce que je veux un nouveau cellulaire pour améliorer mon bien-être ou parce que je suis esclave de la consommation ?

?
- Mets-toi à la place de Monsieur F. et réponds à chacune de ses questions.
- Jésus n'a pas parlé directement de consommation. Il a parlé d'amour et de partage. En te basant sur ses paroles et sa manière d'agir, imagine ce qu'il dirait à Monsieur F. Tu peux demander à des chrétiens ce qu'ils en pensent.

Deuxième aspect

Consommer de manière responsable

Des dangers pour la santé

Les ressources de la nature sont abondantes, mais ne sont pas inépuisables. Peux-tu imaginer ce que serait notre société sans le pétrole ? Plus de plastique, plus de CD, plus d'automobiles, plus de bois ?

Consommer toujours plus favorise le gaspillage et la pollution. Prenons l'exemple du téléphone cellulaire. On utilise actuellement un milliard de cellulaires dans le monde. Juste en Amérique du Nord, environ 100 millions de cellulaires sont retirés chaque année de la circulation, et probablement jetés aux ordures. C'est-à-dire 25 fois plus qu'en 1990. On les jette avant même qu'ils ne cessent de fonctionner, en moyenne après 18 mois d'usage seulement. On sait aussi que le plastique utilisé pour les cellulaires n'est pas recyclable et peut prendre

Allo, amis du Canada, j'appelle des pays du Sud. Maintenant, j'ai trois cellulaires !

35

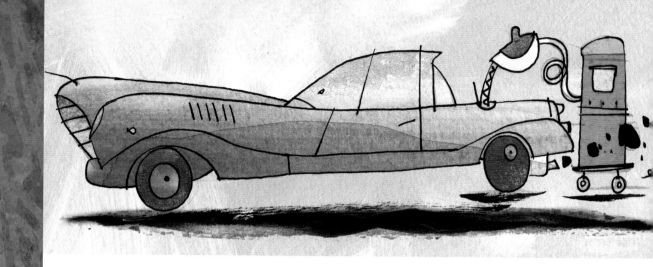

des siècles pour se décomposer. De plus, ceux-ci contiennent des substances hautement toxiques qui se retrouvent dans les sites d'enfouissement, pénètrent dans le sol qui nous nourrit, vont rejoindre les nappes d'eau qui nous abreuvent. As-tu déjà compté le nombre de sacs de plastique qui se retrouvent chaque semaine devant la porte de ta maison ? As-tu déjà pris conscience du papier que nous gaspillons chaque jour ? C'est affolant, tu ne trouves pas ?

Protéger l'héritage des générations futures

D'après toi, peut-on continuer à consommer au rythme que nous connaissons aujourd'hui ? Si oui, les générations futures bénéficieront-elles des mêmes avantages que toi ? Demande-toi comment on pourrait consommer de façon à rétablir l'équilibre et à préserver la santé de la nature et des humains. Que voudrais-tu laisser comme héritage aux générations qui te suivent ?

Faire des choix responsables

Comme tout le monde, tu as le choix d'acheter les produits que tu veux privilégier : ceux qui se jettent après usage ou ceux qu'on peut recycler ou récupérer ; ceux qui changent chaque année ou ceux qui durent des années ; ceux qui sont faits par des entreprises qui exploitent les gens ou ceux qui sont faits par des entreprises respectueuses des gens. Tu peux choisir de prêter tes disques à tes amis ou de les emprunter à la bibliothèque, plutôt que de les acheter pour toi seulement. Pourquoi des voisins ne choisiraient-il pas de partager la même tondeuse ? Que pourrais-tu faire pour consommer en tenant compte de la nature, de tes besoins et de ceux des autres ?

Que dit Jésus?

Pendant sa vie, Jésus a pris soin des gens dépendants, des gens qui n'étaient pas libres de conduire leur vie. Un jour de sabbat, il enseigne à la synagogue. Une femme handicapée est là. Courbée depuis dix-huit ans, elle ne peut absolument pas se redresser. Jésus la remarque et lui dit: «Je te libère de ta maladie» (Luc 13, 10-13). Aussitôt, elle se redresse. Elle est enfin debout. Elle voit le paysage et le visage des gens. Elle est enfin libre! Imagine un instant sa joie. Faire des choix de façon responsable, c'est ne pas se courber sous la pression de la publicité et des autres, mais se tenir droit pour voir clair et prendre de bonnes décisions. S'il rencontrait Monsieur F., Jésus lui demanderait peut-être: pourquoi as-tu besoin de consommer toujours davantage?

ATTENTION AUX PIÈGES

La société nous invite parfois à acheter de façon impulsive, c'est-à-dire irréfléchie. «Je le veux tout de suite avant qu'il n'en reste plus!» Ne tombe pas dans le piège d'acheter un produit sans prendre le temps d'en peser les avantages et les inconvénients. Voici un truc pour faire des choix responsables: laisse passer quelques jours avant d'acheter un produit. Tu pourras ainsi vérifier si tu peux vivre heureux sans te le procurer.

Perçois-tu d'autres pièges?

Pensons-y à deux fois... Pourquoi conserver le cellulaire que j'ai présentement?

- Qu'est-ce que ce choix peut m'apporter?
- Ce choix peut-il aider à protéger la nature?
- Puis-je l'utiliser jusqu'à ce qu'il ne fonctionne plus? Qu'est-ce que cela exigerait de moi?
- Que pourrais-je faire avec mon cellulaire si je décide d'en avoir un nouveau?

?

- *Mets-toi à la place de Monsieur F. et réponds à chacune de ses questions.*
- *Jésus a posé des gestes pour libérer les gens et les rendre responsables de leur vie. En te basant sur ses paroles et sa manière d'agir, imagine ce qu'il dirait à Monsieur F. Tu peux demander à des chrétiens ce qu'ils en pensent.*

Quels sont mes choix et leurs conséquences ?

Quels sont mes choix et leurs conséquences ?
Selon moi, je peux :

— acheter un nouveau cellulaire et jeter
   aux ordures le plus vieux ;

— acheter un nouveau cellulaire et offrir l'autre à quelqu'un ;

— utiliser mon cellulaire jusqu'à ce qu'il ne fonctionne plus ;

— faire le choix de ne pas me servir d'un cellulaire.

- • Ai-je un autre choix ? Si oui, lequel ?
- • Imagine les conséquences qui découlent de chacun de mes choix.

Quelle décision serait la meilleure pour moi ?

Je vais relire nos repères, p. 7 à 11, pour m'aider à voir ce que je veux vraiment.

— **Je suis une personne consciente, libre et responsable.** Je suis capable de réfléchir pour voir ce dont j'ai besoin pour mon bien-être. Je suis responsable des conséquences de mes choix. Rien ne m'oblige à entrer dans la course à la consommation, ni à consommer de façon plus responsable. Pourquoi est-ce que je choisirais de consommer toujours plus ?

— **Mes relations avec les autres sont très importantes.** En quoi consommer de façon responsable peut-il affecter la vie des autres et de la nature ? En quoi surconsommer peut-il affecter la vie des autres ?

- • Mets-toi à la place de Monsieur F. Quelle décision prendrais-tu ?
- • Sur quels points de repère est-ce que tu t'appuies pour prendre cette décision ?

Encore une dispute!

1 PROBLÈME

J'ai un problème!

Je fais partie d'une équipe de soccer. Une amie est venue voir la finale de même que mon frère aîné. Il n'arrêtait pas de m'observer avec des airs de grand seigneur. Il s'est pris pour mon entraîneur en me faisant toutes sortes de signes. Il m'énerve quand il veut me diriger et me dire quoi faire!

Après la partie, il s'est mis à me critiquer comme si j'étais responsable de la défaite. Mon amie en a rajouté en me disant que je n'étais pas assez rapide pour réussir dans ce sport alors que je venais pourtant de recevoir le trophée du joueur le plus utile à son équipe. Elle en profitait pour se défouler et se montrer meilleure que moi. Je me sentais moche.

J'ai finalement éclaté en criant: « Assez! Fichez-moi la paix! » Je suis parti à la maison en courant à toute vitesse. Mes parents souhaitent une solution à ce conflit dans les plus brefs délais. Chose certaine, je n'ai pas le goût de m'excuser à « Monsieur le grand frère » ou de faire une courbette devant mon amie. J'ai besoin de réfléchir à deux fois avant de passer à l'action. J'apprécierais ton point de vue...

Premier aspect

Comment expliquer les conflits?

Une insécurité

En parlant de son amie, Monsieur B. dit: «Elle en profitait pour se défouler et se montrer meilleure que moi.» Le sentiment d'insécurité nous joue parfois de mauvais tours. On se sent mal. On a peur de ne pas être aimé ou de perdre sa place lorsqu'une autre personne a plus de talent ou est plus belle que nous. Notre besoin d'amour est si grand qu'il nous pousse parfois à nous blesser les uns les autres, comme le fait l'amie de Monsieur B. qui en éprouve d'ailleurs bien du chagrin. Rappelle-toi une dispute que tu as eue et demande-toi quelle en était la cause cachée.

Jésus a bien compris ce besoin d'être aimé. Il en a parlé toute sa vie et a laissé ce commandement à ses disciples avant de partir: «Aimez-vous les uns les autres comme je vous aime» (Jean 15, 12). On connaît si bien cette Parole qu'on ne s'y arrête pas toujours pour la comprendre et la mettre en pratique. On oublie trop souvent qu'elle rejoint un besoin fondamental, celui d'aimer et d'être aimé. Un besoin que tout le monde cherche à combler, toi comme les autres. L'amour rend la vie précieuse comme l'a montré Jésus en prenant soin des gens rejetés et mal aimés. Souviens-toi de sa rencontre avec le publicain Lévi qui deviendra l'un de ses disciples. Jésus s'est approché de lui alors que la population le méprisait. Il lui a dit: «Suis-moi!» Lévi se leva, laissa tout et le suivit (Luc 5, 27-28).

Nos différences

Comme tu le sais, nous sommes différents les uns des autres. Tout le monde n'a pas les mêmes intérêts et les mêmes goûts. Tu as ta personnalité et ton caractère: tu es peut-être «soupe au lait» tandis que tes amis ne le sont pas; tu aimes beaucoup l'ordre contrairement à ta sœur ou ton frère qui partage ta chambre; tu prends ton temps même si tu es en retard. Tu es qui tu es... et les autres sont ce qu'ils sont.

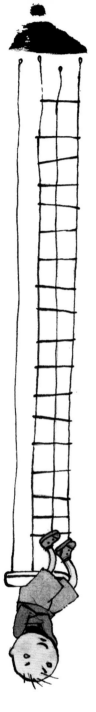

Il arrive aussi que ta manière de parler et d'agir soit mal interprétée. Par exemple : si tu parles fort, certains peuvent penser que tu es en colère alors que tu ne fais qu'exprimer tes opinions avec conviction ; si tu es une personne timide ou discrète, tu peux donner l'impression de manquer d'intérêt ou d'enthousiasme. Toi aussi, tu peux mal interpréter des paroles ou des gestes à ton égard. L'incompréhension provoque des tensions et des conflits. Qu'est-ce que tu as de la difficulté à accepter chez les autres ?

À ce sujet, Jésus a donné un conseil très judicieux à ses disciples : « Pourquoi regardes-tu le brin de paille qui est dans l'œil de ton frère, alors que tu ne remarques pas la poutre qui est dans ton œil ? » (Luc 6, 41). Il nous met ainsi en garde contre le danger de juger et de condamner quelqu'un alors qu'on fait soi-même des bêtises. On exagère les plus petits défauts des autres alors qu'on ne voit pas les siens qui crèvent pourtant les yeux. Monsieur B. aurait-il cette tendance ? Pour toi, qu'en est-il ?

Un malaise personnel

Un conflit peut survenir lorsqu'une situation te dérange ou te fait de la peine : l'annonce de la séparation de tes parents, un mauvais résultat scolaire, un déménagement, une injustice à ton égard, une permission refusée… Tu deviens alors plus susceptible et plus sensible qu'à l'habitude. Un rien met tes nerfs en boule ! Tu perds patience et tu te fâches contre la première personne qui se trouve sur ton chemin. Il est important alors de t'arrêter pour comprendre ce qui ne va pas. Tu peux ainsi identifier ton vrai problème et chercher une solution.

Un malaise entre frères et soeurs

Monsieur B. se dispute avec son grand frère. Cette situation arrive dans les meilleures familles du monde ! Il faut dire que tout n'a peut-être pas été facile pour ce grand frère. En venant au monde, Monsieur B. a bousculé sa manière de vivre. Plus rien n'était pareil ! Monsieur B. devenait le centre d'attraction. Imagine le malaise du grand frère qui se demandait peut-être si on l'aimait encore.

Le grand frère entendait sans doute ses parents dire : «Sois raisonnable. C'est toi le plus vieux. Prends soin de Monsieur B. Il est tout petit.» Depuis ce temps, il se prend peut-être pour le général : il garde l'œil ouvert pour le protéger et le ramener à l'ordre. Il s'affirme et cherche peut-être à dominer. Monsieur B. n'a pas à endurer des paroles ou des gestes qui le rabaissent et le font sentir minable. Il faut rapidement en parler à ses parents ou à des adultes responsables.

Que dit Jésus ?

En lisant l'Évangile, on voit que Jésus fait appel à la conscience des personnes. Souviens-toi du jour où des hommes se préparaient à lancer des pierres à une femme accusée d'adultère (Jean 8, 1-11). Jésus leur a simplement dit : «Que celui qui est sans péché lui jette la première pierre.» Chacun est alors parti après avoir déposé sa pierre. À quelques reprises, Jésus guérit des aveugles leur permettant ainsi de marcher sans danger et de conduire librement leur vie (Matthieu 9, 27-31). Toi aussi, il t'arrive de ne pas voir clairement : tu peux blesser, tu peux être injuste, tu peux commencer une dispute sans raison valable. Jésus t'invite à voir clair en toi, à prendre conscience de ce qui te trouble et t'empêche d'être bien avec toi et les autres. Lorsque tu cherches un peu de lumière, n'hésite pas à lui demander son aide.

ATTENTION AUX PIÈGES

Ne tombe pas dans le piège «soupe au lait» qui conduit à t'emporter pour des riens sans essayer de comprendre l'ensemble de la situation. Une réflexion et un temps d'arrêt favorisent le respect de soi et des autres. Rappelle-toi que tu peux dire à quelqu'un «Je m'excuse» sans t'abaisser. Au contraire, c'est un signe de maturité de reconnaître tes erreurs et d'assumer les conséquences de tes paroles et de tes actes. Perçois-tu un autre piège ?

Pensons-y à deux fois... Pourquoi est-ce que je suis en conflit?

- Est-ce parce que je n'aime pas que l'on souligne mes défauts et mes faiblesses?
- Est-ce parce que je vois l'autre comme un rival?
- Est-ce pour m'affirmer?
- Est-ce parce que je n'accepte pas que les autres soient différents de moi?
- Est-ce parce que je ne vois pas ce qui me dérange?
- Est-ce parce que j'interprète mal les paroles et les gestes des autres?

- Mets-toi à la place de Monsieur B. et réponds à chacune de ses questions.
- Jésus n'a pas parlé de dispute comme telle. En te basant sur ses paroles et sa manière d'agir, imagine ce qu'il dirait. Tu peux demander à des chrétiens ce qu'ils en pensent. Ils pourraient avoir des opinions différentes.

Deuxième aspect

Comment résoudre un conflit?

Monsieur B. a réagi en deux temps: il s'est «vidé le cœur», puis est «parti à la maison en courant à toute vitesse». Monsieur B. n'a pas la langue dans sa poche. Il n'a pas caché sa colère et sa frustration. Il s'est exprimé en paroles et en actes. Son frère et son amie savent très bien ce qu'il pense et comment il se sent. Monsieur B. se libère de ce qui le blesse et lui fait du mal. Dans une situation semblable, est-il possible que ses paroles et ses actes dépassent sa pensée? Si oui, essaie de voir quelles en sont les conséquences. As-tu déjà manifesté ta colère, ta déception ou ton incompréhension? Comment cela s'est-il passé?

Des façons de réagir

Monsieur B. aurait pu réagir d'une autre façon. Par exemple: quitter le gymnase dès la fin de la partie sans attendre son frère et son amie; se boucher les oreilles pour ne pas entendre les remarques; ne pas répondre aux questions et aux critiques; changer le sujet de conversation. Ces manières de réagir sont correctes à condition que Monsieur B. choisisse de ne pas se disputer, pour son bien, celui de son frère et de son amie. Cependant, il se ferait du tort s'il gardait tout à l'intérieur de lui-même par peur de s'exprimer et de faire face au conflit. Si une caméra du cœur existait, il pourrait y voir la «boule» de peine, de colère et de frustration se former en lui et faire des dommages.

Une stratégie

Monsieur B. pourrait régler son conflit en utilisant une stratégie simple et efficace comme celle qui suit. Comme tu vois, certaines questions sont écrites en bleu. Ne réponds pas à ces questions pour le moment. Tu le feras à l'étape suivante. Essaie seulement de comprendre la signification des étapes proposées.

1. Décris le problème pour identifier ce qui te préoccupe. *Quel est le problème de Monsieur B.?*

2. Nomme tes émotions, c'est-à-dire exprime ce que tu ressens. Si possible, fais-en part à la personne concernée. *Que pourrait dire Monsieur B. à son frère?*

3. Demande-toi ce que tu veux changer dans la situation. Imagine ensuite des solutions qui t'aideraient à atteindre ton but. Écris tes idées sur une feuille de papier. Tu peux faire cet exercice avec la personne concernée. *Quelles solutions pourrait proposer Monsieur B.?*

4. Trouve les avantages et les inconvénients des solutions que tu as imaginées. Demande-toi: «Qu'est-ce que cela me donnerait?» et «Qu'est-ce que cela exigerait de ma part?» Tu peux ainsi te rendre compte si les solutions sont réalistes et efficaces. *Que répondraient Monsieur B. et son frère?*

5. Choisis la solution qui te semble la meilleure et imagine-toi en train de la mettre en application. Te sens-tu capable d'adopter cette solution? *Quelle solution choisirais-tu dans le cas de Monsieur B.?*

6. Après quelque temps, évalue si la solution choisie règle le problème. *Essaie d'imaginer les relations entre Monsieur B. et son frère et son amie.*

Dans sa vie, Jésus n'a pas proposé une stratégie détaillée, mais il a conseillé à ses disciples de trouver un arrangement avec leurs adversaires. Il leur dit : «Pourquoi ne jugez-vous pas par vous-mêmes de la juste manière d'agir ? Si tu es en procès avec quelqu'un et que vous alliez ensemble au tribunal, efforce-toi de trouver un arrangement avec lui pendant que vous êtes en chemin» (Luc 12, 57-58). Jésus t'invite ainsi à faire face aux conflits et à chercher la solution la plus juste. *Il est allé plus loin dans ses conseils : il a invité ses disciples à se réconcilier et même à faire les premiers pas vers la personne qui les a blessés (Marc 11, 25). Si tu es responsable du conflit, il te demande de pardonner : «Pardonnez aux autres et Dieu vous pardonnera» (Matthieu 6, 14).* Que penses-tu de ces conseils ?

ATTENTION AUX PIÈGES

Ne tombe pas dans le piège de l'impuissance. Tu as peut-être tendance à penser que tu ne peux rien changer à une situation. Et pourtant, un petit pas peut faire boule de neige ! Il s'agit de réfléchir un peu, de réveiller ton imagination et de demander conseil au besoin. Tu peux éprouver beaucoup de satisfaction à trouver une solution à un problème. L'estime de toi peut certainement monter d'un cran ! Perçois-tu un autre piège ?

Pensons-y un peu. Pourquoi est-ce que je réagis en faisant une colère ?

— Ai-je bien identifié mon problème ?

— Est-ce parce que je n'ai pas peur de dire ce que je ressens ?

— Est-ce parce que je ne vois pas d'autres solutions ?

- Mets-toi à la place de Monsieur B. et réponds à chacune de ses questions.
- En te basant sur les paroles et la manière d'agir de Jésus, imagine ce qu'il dirait à ce sujet. Tu peux demander à des chrétiens ce qu'ils en pensent.

Quelles sont les solutions possibles?

Quelle décision serait la meilleure pour moi?

> Pour répondre à ces questions, relis la méthode proposée pour résoudre un conflit et réponds à chacune des questions écrites en rouge. Auparavant, prends le temps de te rappeler les repères sur lesquels tu peux t'appuyer pour prendre une décision.

Je vais tout d'abord relire nos repères, p. 7 à 11, pour m'aider à voir ce que je veux vraiment.

— **Je suis une personne consciente, libre et responsable.** Rien ne m'oblige à réagir par des paroles et des actes ou à me taire. Je suis capable de réfléchir et de peser le pour et le contre de mes choix. Je peux assumer les conséquences de la solution que je choisis.

— **Mes relations avec les autres sont très importantes.** Quelles conséquences mon choix pourrait avoir sur les autres? En quoi la solution choisie peut-elle affecter ma famille et mes amis?

La guerre ou la paix ?

1 PROBLÈME

Un problème planétaire !

Depuis plusieurs jours, on entend beaucoup parler de guerre à la télévision. Si j'ai bien compris, un pays de l'Ouest menace d'attaquer un pays d'Asie sous prétexte qu'il possède des armes biologiques. À l'école, j'ai entendu plusieurs de mes amis appuyer la guerre. Ils disaient : « Ces gens-là sont très différents de nous. Ils n'ont pas la même religion, les mêmes valeurs, la même façon de voir la vie. Ils sont dangereux. Ils mettent notre sécurité en danger. Il faut leur faire la guerre ! » Je suis d'accord avec eux : il faut se protéger et montrer qu'on est fort. La guerre est le meilleur moyen d'y arriver. Hier soir, j'en ai parlé à mes parents. Ils ont vécu la guerre au Vietnam et s'en souviennent comme si c'était hier. Plusieurs de leurs amis ont été tués. Ils ont dû fuir leur pays pour s'installer ici. « La guerre, ça fait trop de ravages, ça détruit la vie de trop d'innocents. Ça ne règle rien : ça empire les choses. Il faut prendre tous les moyens nécessaires pour garder la paix. » Leur opinion m'a fait réfléchir. La semaine prochaine, deux marches sont organisées dans la ville voisine : la première réunit des gens qui disent « oui » à la guerre, tandis que la seconde réunit ceux et celles qui disent « non » et demandent au gouvernement de suivre les recommandations des Nations Unies. Je ne sais plus à quelle marche je voudrais participer. J'ai besoin de réfléchir loin de l'influence de mes parents et de mes amis. Ton point de vue m'aiderait à y voir plus clair.

Premier aspect

Partir en guerre

Les guerres autour de toi

Dans ta vie de tous les jours, tu n'es sans doute pas d'accord avec tout le monde. Cela est normal car nous ne sommes pas tous pareils et nous avons des points de vue différents. Ce qui est moins souhaitable, c'est que les conflits s'enveniment et deviennent dangereux. Es-tu en désaccord avec quelqu'un ? Comment réagis-tu ?

Les guerres « entre nous » surviennent la plupart du temps quand on se ferme aux points de vue et aux besoins de l'autre. Elles commencent souvent par un mot ou une insulte : on juge l'autre et on le méprise parce qu'il n'agit pas comme nous. Bref, on ferme une fenêtre. Les guerres naissent quand l'inégalité s'installe entre des personnes : l'une se croit supérieure à l'autre ou refuse qu'elle soit son égale : « Mon père est plus fort que le tien ! » Des jeunes qu'on a rejetés deviennent parfois violents et se vengent ! Quand tu entretiens des préjugés, quand tu laisses des conflits s'envenimer au lieu de vouloir les régler, tu entretiens une forme de guerre autour de toi.

Les guerres entre nations

Il y a des tensions entre les peuples comme il y en a entre les personnes. Les guerres ne sont pas des inventions modernes. Elles existent depuis que le monde est monde. Dans la Bible, il est question d'armées et de soldats. Tu peux y lire l'histoire du jeune berger David, sacré roi par le prophète Samuel. Un jour, à la demande de son père, il va porter du pain et des figues à ses frères qui sont au combat. Il rencontre le géant Goliath, un ennemi du peuple d'Israël. David l'affronte et le tue en utilisant sa fronde. Tu pourrais demander à tes parents ou tes grands-parents de te raconter la dernière guerre mondiale. Cela te permettrait de mieux comprendre des situations dont tu entends parler aux bulletins de nouvelles.

Depuis quelques années, des guerres font rage dans le monde. Elles ont lieu entre des personnes de cultures ou de pays différents. Des millions de personnes sont tuées alors que d'autres fuient leur pays pour se protéger et éviter la guerre. Ces réfugiés vivent souvent dans des conditions très précaires. Les mots Afghanistan, Irak, Rwanda, Bosnie, Israël, Palestine, chrétiens, musulmans, juifs te disent-ils quelque chose ? Ils sont reliés à des guerres dont tu pourrais t'informer pour mieux comprendre ce qui se passe dans le monde.

Diverses causes

La guerre se déclenche pour plusieurs raisons. Par exemple : un groupe de personnes veut s'accaparer les biens d'un autre, ou croit qu'il a droit à plus que l'autre. Des groupes se battent au nom d'idées que les autres ne partagent pas, comme le disent si bien les amis de Mademoiselle P. : «Ces gens-là sont très différents de nous. Ils n'ont pas la même religion, les mêmes valeurs, la même façon de voir la vie. Ils sont dangereux. » Les groupes qui s'opposent restent sur leurs positions et s'enferment parfois dans les préjugés : «Ils sont comme ci. Elles sont comme ça. » On assiste alors à l'escalade de la violence. Quand des gens sont en guerre, ils bâtissent des murs entre eux et créent des barrières.

Des conditions à respecter

En écoutant ses amis, Mademoiselle P. se dit : «Il faut se protéger et montrer qu'on est fort. La guerre est le meilleur moyen d'y arriver. » Est-ce que tu partages son point de vue ?

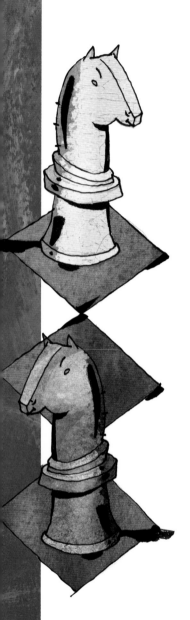

Est-il possible qu'une guerre soit juste? Vers 400 après Jésus-Christ, un grand croyant du nom de saint Augustin a réfléchi à cette question. Il a proposé trois conditions pour qu'une guerre soit juste. Des siècles plus tard, on a ajouté deux autres conditions. Elles sont simples à comprendre, mais pas toujours faciles à respecter.

1. La cause doit être juste. Cela signifie que la guerre est déclenchée pour de bonnes raisons, et non pour se venger, pour s'emparer de territoires ou de richesses qui appartiennent à un autre pays. Elle est nécessaire pour se défendre. Cependant, il faut bien évaluer les chances de parvenir à la paix avant de commencer. Les bonnes intentions ne suffisent pas. Il faut discuter et peser le pour et le contre.

2. La guerre doit être déclarée par une autorité qui veut le bien de tout le monde.

3. La guerre doit utiliser des moyens qui permettent de rétablir la paix. Pas question de recourir à la violence excessive!

4. La guerre doit être envisagée comme le dernier recours. L'intervention armée est acceptable après avoir tout tenté pour négocier la paix.

5. La guerre doit se faire correctement, c'est-à-dire utiliser des moyens militaires qui ne mettent pas en danger la vie des citoyens. En tout temps, il faut éviter d'attaquer des hôpitaux, des écoles, des avions et autres lieux publics. Il faut éviter à tout prix les armes qui peuvent tuer à l'aveuglette ou créer un désordre plus grave que le mal à éliminer.

Selon toi, les pays en guerre respectent-ils ces conditions? Tu peux écouter des bulletins de nouvelles, lire un article de journal, en discuter avec tes parents ou des adultes intéressés à cette question.

Des risques sérieux

De nos jours, les armes utilisées sont si puissantes qu'elles peuvent détruire facilement. Les armes nucléaires tuent des personnes innocentes: les bombes utilisées manquent parfois leurs objectifs et tuent des innocents. Certaines bombes explosent des jours et des semaines après l'impact lorsqu'elles sont ramassées par des citoyens dont des enfants. Les mines antipersonnel tuent plus de citoyens que de soldats.

Les guerres justes sont de moins en moins possibles. Le pape Jean-Paul II s'est fortement opposé à la guerre en Irak. Déclarer la guerre, disait-il, est toujours un échec du dialogue et du compromis.

Que dit Jésus ?

Dans le pays de Jésus, il y avait des mésententes, des «petites guerres». Un jour, Jésus s'est adressé à la foule qui le suivait et l'a interpellée : «Vous avez entendu dire : "œil pour œil, dent pour dent". Eh bien, moi je vous dis de ne pas vous venger de celui qui vous fait du mal.» Ou encore : «"Tu dois aimer ton prochain et haïr ton ennemi." Moi, je vous dis : "aimez vos ennemis et priez pour ceux qui vous persécutent"» (Matthieu 5, 38.43-44). Dans ses paroles, comme dans ses gestes, Jésus n'appuyait pas les conflits. Il n'encourageait pas les rapports de force. Au contraire, il favorisait l'égalité et le respect : «Ce que vous voulez que les autres fassent pour vous, faites-le de même pour eux» (Luc 6, 31).

ATTENTION AUX PIÈGES

On entend parfois les propos suivants : le meilleur moyen d'avoir la paix est de préparer la guerre. Autrement dit : pour avoir la paix, il faut rester le plus fort. De cette façon, on tient l'autre à distance, parce qu'il aura peur de nous. Demande-toi si cette attitude favorise la confiance entre les gens. Cette attitude favorise-t-elle l'égalité, l'ouverture, l'accueil ? Parfois aussi, des personnes préfèrent rester indifférentes devant un conflit. Demande-toi si cette attitude contribue à appuyer la guerre ou la paix. Ne pas prendre position et laisser faire, n'est-ce pas être un peu d'accord avec ce qui se passe ?

Perçois-tu d'autres pièges ?

Pensons-y à deux fois... *Quelles questions dois-je me poser pour savoir s'il serait bon d'appuyer une guerre ?*

— *La raison de déclarer la guerre est-elle valable ou s'agit-il d'une vengeance, d'un désir de conquête, d'assurer sa supériorité ?*

— *Qui déclare la guerre ?*

— *La guerre a-t-elle des chances de rétablir la paix dans le pays ?*

— *La guerre est-elle le dernier recours ?*

— *Les moyens utilisés mettent-ils en danger la vie des citoyens, des gens qui ne combattent pas ?*

— *Est-ce que je m'informe suffisamment pour bien comprendre le problème ?*

- *Mets-toi à la place de Mademoiselle P. et réponds à chacune de ses questions.*
- *Jésus a parlé de paix et des attitudes pour mieux l'établir. En te basant sur ses paroles et sa manière d'agir, imagine ce qu'il dirait à ce sujet. Tu peux demander à des chrétiens ce qu'ils en pensent.*

Deuxième aspect

Bâtir la paix

Des initiatives de paix

Les parents de Mademoiselle P. ont vécu l'expérience de la guerre et en gardent le souvenir : « La guerre, ça fait trop de ravages, ça détruit la vie de trop d'innocents. Ça ne règle rien : ça empire les choses. Il faut prendre tous les moyens nécessaires pour garder la paix. » Ces gens sont sûrement heureux que l'Église ait fait du premier jour de chaque année la « Journée mondiale de la paix ». À cette occasion, le pape adresse un message aux chefs d'État et aux organisations internationales. Il leur rappelle leurs responsabilités et les invite à bien diriger le monde.

Cette Journée mondiale s'adresse également à tous ceux et celles qui veulent être des «artisans de paix», comme dit Jésus dans sa charte du bonheur (Matthieu 5, 9). As-tu déjà entendu parler de Gandhi, de Martin Luther King ou de Nelson Mandela? Ces trois hommes sont de pays et de religion différentes, mais tous les trois ont lutté toute leur vie pour créer une plus grande justice dans leur pays respectif: l'Inde, les États-Unis et l'Afrique du Sud. Tous les trois ont choisi la non-violence. Cette stratégie demande du temps, du courage et la solidarité des citoyens. Tu peux regarder des documentaires sur eux et lire leur histoire.

L'absence de guerre

La guerre est parfois inévitable pour protéger la survie d'un pays ou d'un groupe de personnes en danger. Cependant, la violence armée n'est pas une partie de plaisir: elle est risquée et amène des conséquences néfastes pour les hommes, les femmes et les enfants. Il faut tout faire pour l'éviter avant d'en arriver là.

Cependant, la paix n'est pas seulement l'absence de guerre. La paix est possible lorsque les droits de la personne sont respectés. Comment la paix est-elle possible lorsque les gens vivent dans la misère, lorsque les enfants sont exploités, lorsque des groupes de personnes sont considérés comme inférieurs aux autres?

Je veux bien mettre fin à notre conflit, mais tu n'as pas un mot à dire!

Dans son milieu, Jésus a choisi le dialogue. Il entre dans la maison de Zachée, même si celui-ci est mal perçu par les autres (Luc 19, 5-7). Il demande à boire à la Samaritaine, une étrangère, alors qu'il était interdit de parler à une femme en public, une étrangère de surcroît (Jean 4, 1-26). Jésus ne condamne personne. Il reste ouvert au dialogue avec les Pharisiens qui lui donnent du fil à retordre. Il refuse la violence qui alimente les conflits: «Si quelqu'un te fait du mal, ne te venge pas» (Matthieu 5, 39).

Le dialogue

Le dialogue entre les nations ressemble au dialogue entre toi et une personne avec qui tu vis un désaccord. Le dialogue permet de comprendre l'autre, de le considérer comme un égal et non comme un adversaire. C'est parfois difficile, car les émotions peuvent être fortes: chaque personne impliquée veut se défendre! Si tu prends une attitude de supériorité, l'autre se sent diminué et la confiance est alors brisée. Dialoguer, c'est écouter l'autre pour découvrir son histoire, saisir ses craintes, comprendre son point de vue et ses besoins particuliers.

Le dialogue est une stratégie qui permet de comprendre les causes des tensions entre deux pays. Évidemment, ce n'est pas à toi de discuter avec les gouvernements des pays! Cependant, tu peux essayer de t'informer pour mieux comprendre ce qui se passe. Quels sont les points de vue qui se confrontent? Comment favoriser la justice? Ensuite, il te sera peut-être possible d'agir à ta façon: exprimer ton point de vue et aider tes amis à mieux comprendre ce qui se passe. Vois-tu d'autres moyens de favoriser le dialogue entre pays ou cultures, et d'appuyer la paix ici comme ailleurs?

ATTENTION AUX PIÈGES

Il y a toutes sortes d'expression avec le mot paix: «Fiche-moi la paix!» ou «Je veux avoir la paix!». On comprend parfois la paix comme le fait de ne pas être dérangé ou d'avoir un peu de tranquillité. Demande-toi si l'utilisation de ces expressions avec le mot «paix» favorise le véritable dialogue. Est-ce qu'on peut imposer la paix? La paix n'est pas quelque chose que l'on peut obtenir seul, mais quelque chose que l'on construit à plusieurs. Le véritable dialogue de paix demande un engagement.

Perçois-tu d'autres pièges?

Prenons le temps de réfléchir. Quelles questions dois-je me poser pour savoir s'il est bon d'appuyer la paix?

— La non-violence peut-elle résoudre le conflit?

— Quelles exigences pose le dialogue?

— Quel compromis faire pour éviter la guerre?

— Les actions pour bâtir la paix sont-elles utiles?

- Mets-toi à la place de Mademoiselle P. et réponds à chacune de ses questions.
- Jésus a souvent parlé de paix et il a choisi le dialogue. En te basant sur ses paroles et sa manière d'agir, imagine ce qu'il dirait au sujet des conflits d'aujourd'hui. Tu peux demander à des chrétiens ce qu'ils en pensent.

Quels sont mes choix possibles et leurs conséquences?

Je peux:

— m'informer pour bien comprendre le problème;

— participer à la marche qui appuie la guerre;

— être un artisan de paix dans mon milieu;

— participer à la marche qui appuie la paix;

— ne pas prendre parti et rester indifférent;

— poser des actions qui favorisent la non-violence et le dialogue.

- Ai-je un autre choix? Si oui, lequel?
- Imagine les conséquences qui découlent de chacun de mes choix.

Je vais relire nos repères, p. 7 à 11, pour m'aider à voir ce que je veux vraiment.

— **Je suis une personne consciente, libre et responsable.** Rien ne m'oblige à marcher en faveur de la paix ou en faveur de la guerre. Je suis une personne capable de renoncer à la violence ou de choisir la violence. Quelles conséquences mon choix pourrait avoir sur ma vie, sur ma relation avec moi-même, sur ma liberté ?

— **Mes relations avec les autres sont très importantes.** Quelles conséquences mon choix de marcher pour la paix ou pour la guerre pourrait avoir sur les autres ? En quoi appuyer la guerre pourrait-il affecter la vie des autres ? En quoi appuyer la paix pourrait-il affecter la vie des autres ?

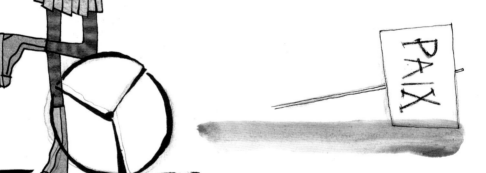

?

• *Mets-toi à la place de Mademoiselle P. Quelle décision prendrais-tu ? Sur quels points de repère t'appuierais-tu ? Si une guerre éclatait autour de toi, entre des gens de ton pays, que ferais-tu ? Ta décision demeurerait-elle la même ?*

Je n'ai plus le goût !

As-tu déjà eu un problème semblable ?

Mon groupe de musique a été choisi pour faire partie d'un spectacle au profit d'un organisme de la région. Je suis contente que nos talents soient enfin reconnus ! Nous pratiquons plusieurs heures par semaine et je dois même m'exercer à la maison pour bien connaître mes partitions. Ce projet demande beaucoup de discipline et bien des efforts. Je n'ai plus le temps de voir mes amis et de jouer avec eux. Mes parents m'encouragent à continuer en me disant que j'ai la chance d'avoir du talent et d'en faire bénéficier les autres. Ils ont raison, mais j'en ai assez de pratiquer, de répéter et de recommencer. Je vais laisser tomber le projet parce que c'est trop difficile. Je n'ai plus le goût ! Je voudrais faire autre chose. Je me demande comment je vais annoncer ma décision et comment le groupe va réagir. Mes parents disent que j'ai tort d'abandonner. Qu'en penses-tu ? Que ferais-tu à ma place ?

Premier aspect

Pourquoi persévérer ?

« J'en ai assez ! » Mademoiselle T. n'a plus le goût de faire d'effort pour monter un spectacle avec son groupe de musique. Tu connais peut-être des jeunes qui ressemblent à Mademoiselle T. : ils laissent leur équipe de vélo ou de natation, leurs cours de tir à l'arc ou de piano, cessent leur implication dans un projet scolaire. Pourquoi ? Certains croient qu'ils n'ont pas suffisamment de talent, ou ils préfèrent explorer autre chose. D'autres trouvent les exigences trop grandes ou ennuyeuses. N'éprouvant plus de plaisir, ils décident d'arrêter. As-tu déjà vécu une expérience semblable ?

Mademoiselle T. semble avoir perdu sa motivation, c'est-à-dire ce qui la stimulait et la poussait à monter le spectacle. La motivation donne de l'énergie pour persévérer. C'est un moteur très précieux. Yves Laroche, deux fois champion de ski acrobatique, en sait quelque chose.

Lors d'un entraînement, Yves est tombé de 10 mètres sur la tête. Cette chute l'a plongé dans le coma pendant deux mois. Ensuite, il a dû réapprendre à marcher, à parler et à manger. Il se sentait comme un petit enfant. C'était

très dur pour lui. Yves a travaillé tellement fort qu'il a réussi à reprendre sa vie en main. Il a même fondé le Centre national d'entraînement acrobatique. Il a étonné ses médecins et sa famille qui ne croyaient pas à une aussi grande guérison. Yves s'est surpassé et continue de le faire chaque jour. Il n'a jamais lâché. C'est un champion de la persévérance.

Yves aurait pu se laisser abattre, mais il s'est pris en main. Il a fait tous les efforts nécessaires pour sortir vainqueur de cette épreuve : il est tombé, s'est relevé, est tombé et s'est relevé encore. Il a sûrement vécu des périodes de découragement. Il a peut-être eu peur de ne pas s'en sortir et pleuré de temps en temps, mais il a tenu le coup. Sa famille, ses amis, les membres de son équipe de ski, les médecins et les physiothérapeutes lui ont certainement donné un bon coup de pouce en l'encourageant et en l'invitant à se dépasser. Il a persévéré grâce à son désir de devenir autonome et au soutien des gens qui croyaient en lui.

Au centre :
Yves Laroche,
Coupe du monde
de saut à
ski acrobatique,
1986, France.

Yves dirait sans doute à Mademoiselle T. que l'on n'obtient rien sans effort. Le plaisir de bien jouer de la musique passe par des heures de pratique. Imagine la persévérance qu'il faut aux artistes et athlètes du Cirque du Soleil pour maîtriser leur numéro. Pense à la discipline que s'imposent les joueurs de hockey tel Sydney Crosby ou un autre : se coucher tôt, faire attention à leur alimentation, respecter les directives de la Ligue, s'entraîner sérieusement tous les jours. La satisfaction qu'ils en retirent est le résultat de leurs efforts. Toi aussi, tu vis des situations semblables. Si tu veux obtenir une très bonne note aux examens, tu devras peut-être étudier plus qu'à l'habitude et, donc, jouer moins longtemps avec tes amis pendant quelques jours.

Qu'en est-il de Jésus ?

Jésus est aussi un héros de la persévérance. Les gens qui le suivaient étaient si nombreux qu'il n'avait même pas le temps de manger. Ses disciples non plus d'ailleurs. Jésus leur dit : « Venez avec moi dans un endroit isolé pour vous reposer un moment. ». Ils partirent dans la barque vers un endroit isolé. Mais beaucoup de gens les virent s'éloigner et comprirent où ils allaient ; ils accoururent alors de toutes les localités voisines et arrivèrent à pied à cet endroit avant Jésus et ses disciples. Quand Jésus sortit de la barque, il vit cette grande foule. Il se mit alors à leur enseigner beaucoup de choses » (Marc 6, 31-34). *Jésus continue malgré sa fatigue !*

Pendant toute sa vie, il a lutté pour le bien-être et le respect de chaque personne. Il ne lâche pas malgré les critiques et les menaces. Après avoir guéri un homme à la main paralysée le jour du sabbat, des « Pharisiens sortirent de la synagogue et se réunirent aussitôt avec des membres du parti d'Hérode pour décider comment ils pourraient faire mourir Jésus » (Marc 3, 6). *Jésus va jusqu'au bout de son projet en s'appuyant sur l'amour de Dieu, son Père.*

Après sa mort, les apôtres Pierre et Paul suivent ses pas. Ils persévèrent malgré les exigences de la mission et les difficultés rencontrées, dont l'emprisonnement. Depuis ce temps, d'autres disciples font de même un peu partout dans le monde. As-tu déjà entendu parler de Monseigneur Romero, un chrétien du El Salvador qui a donné sa vie pour la reconnaissance des droits de la personne ? Il a mis en pratique cette parole que Jésus a dite à la foule venue l'entendre :

« Si quelqu'un veut venir avec moi, qu'il cesse de penser à lui-même, qu'il porte sa croix et me suive » (Marc 8, 34).

Jésus ne veut pas dire qu'il y a toujours des «croix», c'est-à-dire des exigences ou des difficultés, mais il nous invite à les «porter», à ne pas démissionner lorsqu'elles arrivent et à les rendre moins lourdes si possible. Tu n'es pas Jésus, tu n'es pas Pierre, Paul ou Romero, mais tu as des défis à relever. Tu peux y faire face, c'est-à-dire «porter» les exigences et les difficultés qui surviennent en t'appuyant sur la force de l'amour de Dieu et des autres. Tu peux compter sur leur présence et tes ressources pour t'aider à persévérer.

Une satisfaction

La persévérance peut aussi t'apporter bien des satisfactions. Elle t'amène à un autre niveau, pour reprendre l'expression des jeux vidéo que tu connais bien. En persévérant, tu développes tes talents et tu te prouves à toi-même que tu es capable d'aller jusqu'au bout malgré les exigences rencontrées. Cette victoire peut te procurer beaucoup de fierté et augmenter ta confiance

en toi. Cependant, il ne s'agit pas de faire des efforts pour faire des efforts. Parfois, il est possible de changer une chose ou l'autre pour se faciliter la tâche. Mademoiselle T. pourrait peut-être parler de son problème avec les autres musiciens. Ensemble, ils trouveraient des moyens pour faciliter la préparation du spectacle. Qui sait ? Mademoiselle T. retrouverait peut-être le goût de continuer.

Évite le piège de prendre des décisions trop rapidement. Si tu veux cesser une activité ou un projet, prends le temps de peser le pour et le contre plutôt que d'arrêter sous prétexte que cela te demande trop d'efforts. Ne tombe pas dans la facilité. Avant de te lancer dans un projet, identifie clairement les difficultés que tu peux rencontrer même si tu préfères les ignorer ou faire semblant qu'elles n'existent pas. N'oublie pas qu'elles peuvent devenir un gros nuage noir au-dessus de ta tête. Il vaut mieux les regarder et chercher comment y faire face.

Pensons-y à deux fois...

Pourquoi est-ce que je veux abandonner le projet du spectacle ?

- Est-ce parce que je n'ai pas de talent ?
- Est-ce parce que je manque d'encouragement ?
- Est-ce parce que je ne veux pas faire d'efforts ?
- Est-ce parce que je veux être libre ?

- Mets-toi à la place de Mademoiselle T. et réponds à chacune de ses questions.
- Jésus a été un héros de la persévérance. En te basant sur l'ensemble de sa vie et sur des chrétiens d'aujourd'hui, imagine ce qu'il dirait à Mademoiselle T.

Donner sa parole

«Je vais laisser tomber!» Mademoiselle T. avait pourtant accepté de participer au spectacle. Elle avait donné sa parole. Comme tu le sais, donner sa parole n'est pas quelque chose de banal. En donnant ta parole, tu t'engages, tu fais une promesse. Respecter ta parole, c'est montrer que tu es une personne digne de confiance, une personne sur qui on peut compter. Respecter ta parole, c'est te respecter toi-même, c'est éprouver de la fierté, c'est grandir dans l'estime de toi. Certaines circonstances peuvent, cependant, t'empêcher de tenir parole: une maladie, une situation familiale, un événement imprévu. À l'impossible, nul n'est tenu!

Mademoiselle T. fait partie d'un groupe. Sa décision de continuer ou de laisser tomber le projet implique les autres musiciens et l'organisme pour lequel le spectacle doit avoir lieu. Mademoiselle T. peut-elle penser seulement à elle? Elle doit être consciente des conséquences de sa décision: risque-t-elle de mettre en péril le succès du spectacle? Quel tort peut-elle faire aux autres membres du groupe? Mademoiselle T. vit un conflit entre sa liberté et sa responsabilité comme membre du groupe de musique. Sa responsabilité est-elle plus importante que son désir de voir ses amis et de jouer plus souvent avec eux? Comment réagirais-tu si quelqu'un abandonnait ton équipe avant un tournoi?

Que disent Jésus et ses témoins ?

L'Évangile raconte comment Jésus a tenu parole. Jour après jour, il a mis en pratique ce qu'il enseignait à ses disciples. Il a respecté la charte du bonheur proposée à ses disciples (Matthieu 5, 1-9) en luttant contre tout ce qui faisait du mal à la personne : maladie, pauvreté, exclusion. Sœur Emmanuelle, une chrétienne exceptionnelle, tient parole mieux que personne.

© Éric Fougère / VIP Images / Corbis

À 96 ans, sœur Emmanuelle a atteint depuis longtemps l'âge de la retraite. Elle persévère et continue à combattre la misère sous toutes ses formes. Elle a fait bâtir des écoles, des maisons, des infirmeries, et même une usine dans un bidonville du Caire, en Égypte. Elle est pleine de cœur et de détermination. Elle va au bout d'elle-même et en retire une grande satisfaction. En visitant son site Internet, tu pourras la connaître davantage et même lui faire parvenir un petit mot.

ATTENTION AUX PIÈGES

Avant de t'engager dans un projet, note les responsabilités qui s'y rattachent. Demande-toi si tu es capable d'en assumer les conséquences. Apprends à te respecter en exprimant aux autres ce que tu désires et en faisant connaître tes limites. Évite le piège de suivre les autres sans réfléchir et de ne pas tenir compte de tes talents et de tes limites.
Perçois-tu d'autres pièges ?

Pensons-y à deux fois... Pourquoi tenir parole?

- Que peut m'apporter le respect de mon engagement?
- Que peut m'apporter le respect de ma liberté?
- Que peut apporter au groupe ma contribution au projet?
- Qu'est-ce que cela exige de ma part?
- Puis-je changer ma décision d'abandonner le groupe de musique? Si oui, qu'est-ce que cela exigerait de ma part?

- Mets-toi à la place de Mademoiselle T. et réponds à ses questions.
- Jésus a tenu parole. Des disciples d'hier et d'aujourd'hui suivent ses pas. En te basant sur leur manière d'agir, imagine ce qu'ils diraient à ce sujet. Tu peux poser la question à des chrétiens de ton entourage.

1 PROBLÈME *2 ASPECTS*
CHOIX 3

Quels sont mes choix et leurs conséquences?

Selon moi, je peux:

- abandonner le groupe et le projet;
- persévérer et participer au spectacle;
- rencontrer mon groupe de musiciens et leur proposer un compromis: trouver quelqu'un pour me remplacer;
- discuter avec le groupe et proposer d'alléger la préparation.

- Ai-je un autre choix? Si oui, lequel?
- Imagine les conséquences qui découlent de chacun de mes choix.

Pensons-y à deux fois à l'aide de nos repères, p. 7 à 11.

— **Je suis une personne consciente, libre et responsable.** Personne ne me force à accepter de participer au spectacle. Personne ne me force à donner ma parole. Je suis responsable de mes actes et capable d'assumer les conséquences de mes choix. Pourquoi abandonner le projet? Pourquoi laisser tomber le groupe et risquer de mettre le projet en péril?

— **Mes relations avec les autres sont très importantes.** En quittant le groupe, est-ce que je risque de briser mes liens avec les musiciens? Comment rester solidaire en tenant compte de mes limites? Comment puis-je retirer une satisfaction en poursuivant le projet?

?
- *Mets-toi à la place de Mademoiselle T. Quelle décision prendrais-tu?*
- *Sur quels points de repère est-ce que tu t'appuies pour prendre cette décision?*

J'en ai assez d'être mis de côté

1 PROBLÈME

As-tu déjà eu un problème semblable ?

Je connais cette fille. Elle est « cool ». Elle aime la musique et a beaucoup d'amis. Il y a juste une chose : c'est une mauvaise perdante. L'autre jour, elle s'est fâchée lorsqu'elle a perdu ses élections comme porte-parole de la classe. Mais j'aimerais beaucoup devenir son ami. Je me sentirais moins seul. On pourrait étudier ensemble, ou encore écouter de la musique… Je vais aller lui parler.

Pas encore lui ! Quand les professeurs l'interrogent, il bégaie. Tout le monde rit. Je ne sais pas d'où il vient, mais il a un drôle d'accent. Je crois qu'il n'a pas d'amis… il faut dire qu'il colle quand il arrive quelque part. Je m'en vais vite avant d'être prise avec lui… Je ne veux surtout pas qu'on me voit avec lui…

Premier aspect

Semblables et différents

Comme tu le sais, les gens ne sont pas tous pareils. Nous n'avons pas la même apparence :
la taille, le poids, la forme du visage, la
couleur des yeux et des cheveux diffè-
rent d'une personne à l'autre. Nos
goûts et nos talents ne sont pas
les mêmes : il y en a qui excellent
en mathématiques et d'autres en
musique ou en dessin. Tu fais
peut-être du vélo tandis que ta
cousine préfère le ballon panier.
Nous n'avons pas non plus les
mêmes qualités : tu as peut-être la
réputation d'être fidèle à ta parole
tandis que ta sœur est reconnue pour
sa franchise. Par quoi Francis et Mademoiselle P. se distinguent-ils des autres ?

Il y a d'autres différences… Des gens ont un
pays d'origine qui n'est pas le tien. Tu peux le constater
à la couleur de leur peau, à leur langue, leur religion, leurs mets
traditionnels ou aux fêtes qu'ils célèbrent. Que peuvent-ils t'apporter ? Il y a aussi des jeunes et des adultes qui ont un handicap
physique ou psychologique : Francis bégaie lorsqu'il est gêné ou
nerveux ; des jeunes sont sourds, aveugles, diabétiques, autis-
tes… Tu peux sans doute ajouter d'autres exemples. Comment
réagis-tu lorsque tu les rencontres ?

Des points communs

Malgré nos différences, nous nous ressemblons beaucoup.
Nous avons besoin d'aimer et d'être aimés. Nous souhaitons être
heureux. Nous voulons être traités avec justice. Nous sommes

responsables de l'environnement. Nous pouvons contribuer à rendre le monde meilleur. Nous sommes tous aimés de Dieu comme on peut le lire dans la Bible : *« Je te connais par ton nom et je t'aime. » (Isaïe 43, 1)*

Peut-on devenir les amis de tout le monde ? Non, car l'amitié dépend de nos affinités personnelles et de nos besoins. Si les sports sont tes loisirs préférés, tu seras peut-être plus à l'aise avec quelqu'un qui partage ton goût. Mademoiselle P. ne veut pas devenir l'amie de Francis. C'est son droit et sa décision personnelle. Cependant, il y a des alternatives à l'amitié. Mademoiselle P. n'est pas obligée d'éviter Francis : il peut être un bon camarade, un coéquipier, un compagnon de jeux ou autre.

Que dit l'Évangile ?

Dans l'Évangile, on voit que Jésus ne met personne de côté : il parle à Nicodème, un riche expert de la Loi (Jean 3, 1-21) tout autant qu'aux collecteurs d'impôt et aux étrangers comme le centurion romain (Luc 7, 2) ; il parle aux femmes en public malgré l'interdiction de la Loi (Luc 13, 10-14) ; il mange avec des gens de mauvaise réputation tout en sachant qu'il court le risque de déplaire aux autorités (Matthieu 9, 10).

Rappelle-toi aussi la parabole du Bon Samaritain que Jésus a racontée pour répondre aux Pharisiens qui lui demandaient qui est le prochain. Cette parabole est pleine de finesse. Jésus prend soin de choisir ses personnages : un Juif blessé par des brigands ; deux prêtres juifs ; un homme de Samarie. À cette époque, n'oublie pas que les Juifs et les Samaritains ne se fréquentaient pas. Jésus raconte que les deux prêtres passent tour à tour devant le blessé étendu par terre sans lui porter secours. Ils continuent leur chemin. Par contre, le Samaritain s'arrête, nettoie et panse ses blessures, le place sur sa propre bête et le conduit à l'hôtellerie en payant d'avance l'aubergiste (d'après Luc 10, 28-35). À travers cette parabole, Jésus t'invite à t'approcher des autres, à prendre soin d'eux, à les soigner si nécessaire. Que dirait Mademoiselle P. de cette parabole ?

Jésus est ouvert aux autres, mais il ne crée pas de liens d'amitié avec tout le monde. Au début de sa mission, il forme un groupe bien spécial composé de douze hommes appelés les apôtres. C'est avec eux qu'il parcourt la Galilée et annonce la Bonne Nouvelle. C'est à eux qu'il demande de continuer sa mission. Ils sont proches de lui comme le sont des amis (Marc 3, 13-19).

À la fin de sa vie, Jésus a été profondément blessé. Judas, un de ses disciples, l'a trahi. Après le repas de la Pâque, Jésus se rend au Jardin de Gethsémani. Des soldats arrivent et Judas s'approche de Jésus pour l'embrasser. Jésus lui dit : « Est-ce en m'embrassant que tu vas me trahir ? » (Luc 22, 47-48). Jésus est aussi rejeté par Pierre qui l'attend dans la cour du tribunal. Par trois fois, il répond aux gens qui lui demandent s'il fait partie des disciples de Jésus : « Je ne connais pas cet homme » (Luc 22, 57). Pierre renie Jésus. C'est une forme de rejet.

ATTENTION AUX PIÈGES

Nous sommes différents les uns des autres, mais nous nous complétons mutuellement. C'est une richesse. Rappelle-toi qu'il faut plusieurs instruments pour faire un orchestre. T'arrive-t-il d'avoir des préjugés, c'est-à-dire de juger une personne sans vraiment la connaître ou en te fiant à ce que disent les autres ? As-tu tendance à rejeter quelqu'un sans chercher d'alternatives à l'amitié ? C'est un piège à éviter pour ne pas te fermer aux autres.

Si tu ne veux pas te lier d'amitié avec quelqu'un, demande-toi pourquoi. Est-ce pour ne pas déplaire à tes autres amis ? As-tu peur de faire rire de toi par ceux et celles qui ne l'aiment pas ? Te laisses-tu conduire par tes préjugés ? As-tu honte de fréquenter quelqu'un qui n'est pas populaire ou qui a un handicap ? Réfléchis à tes motivations.

Perçois-tu d'autres pièges ?

Pensons-y à deux fois...

Pourquoi est-ce que je ne veux pas me lier d'amitié avec Francis ?

- — Est-ce parce que je ne veux pas fréquenter quelqu'un qui a un handicap ?
- — Est-ce pour ne pas perdre mon groupe d'amis ?
- — Est-ce pour éviter de faire rire de moi ?
- — Est-ce parce que je n'ai pas d'intérêts communs avec Francis ?

?
- Mets-toi à la place de Mademoiselle P. et réponds à chacune de ses questions.
- Jésus a parlé d'ouverture aux autres. En te basant sur ses paroles et ses gestes, imagine ce qu'il dirait à Mademoiselle P. Tu peux interroger des chrétiens et leur demander ce qu'ils en pensent.

Le respect mutuel

«Je m'en vais au plus vite!» Mademoiselle P. part rapidement en évitant de parler à Francis qui se met alors à se poser des questions sur lui-même. Il souffre d'être mis de côté. Comment pourrait réagir Mademoiselle P. pour montrer qu'elle ne veut pas être amie avec Francis qui insiste pour le devenir? Que dit Jésus?

Rappelons tout d'abord que Mademoiselle P. est libre de devenir l'amie de Francis. C'est son choix. Disons aussi que Francis a droit au respect. C'est son droit le plus précieux.

Des formes de rejet

En lisant les journaux, en écoutant les bulletins de nouvelles ou en observant les jeunes dans la cour d'école, tu peux voir ce que font des gens lorsqu'ils veulent mettre quelqu'un de côté. Certains recourent à la violence physique: coups de poing, jambettes, gifles, bousculades. La violence physique peut engendrer la peur et le goût de se venger. Elle va à l'encontre de la Charte universelle des droits qui interdit de s'attaquer physiquement à une personne sauf en cas de légitime défense.

Certains recourent à la violence psychologique: insultes, moqueries, paroles de mépris, atteintes à la réputation... Cette réaction va également à l'encontre de la Charte des droits qui dit que chaque personne a droit au respect de sa dignité. Francis en est victime: il est méprisé et ridiculisé lorsqu'il bégaie. Maltraité, il peut finir par croire qu'il est nul et moindre que les autres... ce qui est faux.

Certaines personnes prennent la fuite pour éviter toute conversation. D'autres ne font que répondre aux questions sur un ton agressif et froid. Il y en a qui parlent ensemble simplement sans se lier d'amitié pour autant. D'autres choisissent d'avoir une explication franche tout en faisant attention à leurs sentiments mutuels. Mademoiselle P. et Francis pourraient peut-être ainsi arriver à une entente.

Qu'en dit Jésus ?

Un jour, Jésus a donné un conseil à ses disciples :

« Faites pour les autres exactement
ce que vous voulez qu'ils fassent pour vous. »

Luc 6, 31

Dans l'Ancien Testament, on peut lire ce même conseil dans sa forme négative :

« Ne fais pas aux autres ce que tu ne voudrais
pas que les autres te fassent. »

Tobie 4, 15

Voilà la règle d'or qu'on appelle la compassion ! Elle consiste à se mettre à la place de l'autre pour mieux le comprendre. Une règle que Jésus a mise en pratique.

Souviens-toi... *Un jour, il est allé chez Zachée, le Publicain que les gens détestaient. Jésus a compris Zachée et fait les premiers pas vers lui (Luc 19, 2-7). Un autre jour, il a guéri un sourd et muet qui était mis de côté par les gens de l'époque qui croyaient que les handicapés étaient punis de leur mauvaise conduite (Marc 7, 31-37).* Des chrétiens d'aujourd'hui suivent la règle d'or. Essaie d'en identifier dans ton milieu.

Attention aux pièges ! Il est tentant de ne pas se mettre à la place de l'autre. Imagine ce que Mademoiselle P. pourrait découvrir en se mettant à la place de Francis. Si les autres te mettent de côté, ne tombe pas dans le piège de te dévaloriser et de t'isoler. Rappelle-toi que tu es une personne importante. N'oublie pas que d'autres personnes pourraient reconnaître ta valeur et rechercher ta compagnie. Confie-toi à des adultes en qui tu as confiance. Ils te donneront peut-être des trucs pour aborder les autres et te faire connaître sous ton vrai jour. Respecte les autres en évitant de t'imposer... l'amitié est une question d'affinités.
Perçois-tu un autre piège ?

Pensons-y à deux fois... Quelle attitude pourrais-je adopter ?

— Pourquoi est-ce que je choisis de fuir ? Qu'est-ce que cela m'apporte ?

— Qu'est-ce que je gagnerais à parler à Francis ?

— Quelle conduite m'inspire la règle d'or ? Qu'est-ce que cette règle exige de ma part ?

- Mets-toi à la place de Mademoiselle P. et réponds à chacune de ses questions.
- Jésus a mis en pratique sa règle d'or. Imagine ce qu'il dirait à Mademoiselle P. Tu peux interroger des chrétiens et leur demander ce qu'ils en pensent.

1 PROBLÈME 2 ASPECTS CHOIX 3

Quels sont mes choix et leurs conséquences ?

J'ai longtemps réfléchi. Voici les choix qui me semblent possibles :

— partir rapidement et éviter le regard de Francis ;

— parler fort à Francis en lui disant que je ne veux pas être son amie ;

— saluer Francis avec gentillesse et continuer mon chemin ;

— échanger quelques mots avec Francis sans me lier d'amitié ;

— dire très clairement à Francis que je ne veux pas devenir son amie ;

— dire très clairement à Francis que je ne le mets pas de côté, mais que je veux être une bonne camarade, sans plus.

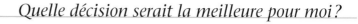

Je réfléchis à deux fois à l'aide des repères que nous avons établis, p. 7 à 11.

— **Je suis une personne consciente, libre et responsable.** Personne ne m'oblige à devenir l'amie de Francis et personne ne m'oblige à ne pas devenir son amie. Pourquoi refuser son amitié? Si je maintiens ma position, quelle attitude pourrais-je adopter?

— **Mes relations avec les autres sont très importantes.** Comment respecter Francis tout en restant vraie? Comment ne pas blesser Francis tout en maintenant ma décision? Y aurait-il une alternative à l'amitié?

- Mets-toi à la place de Mademoiselle P. Quelle décision prendrais-tu?
- Sur quels points de repère est-ce que tu t'appuies pour prendre cette décision?

Des menaces et des insultes

J'ai un gros problème

Depuis quelque temps, des élèves sèment la peur dans l'école. Une de mes amies fait partie de ce groupe. L'autre jour, ils ont encerclé une jeune de 3e année et l'ont bousculée avant de lui voler son manteau. Ils l'ont menacée de la battre si elle en parlait à ses parents ou à la direction de l'école. Ce n'est pas tout ! Ils partent des fausses rumeurs sur un garçon et lui crient des noms. Ils cachent son lunch et le forcent à donner de l'argent pour le récupérer. Hier, mon amie a pris l'agenda d'un élève et écrit ce message sur le dessus en grosses lettres noires : « Tu es gros ! » Je ne comprends pas pourquoi mon amie agit de la sorte. Avec moi, elle est très correcte. Elle me traite bien et ne me fait aucune menace. C'est mon amie depuis la maternelle, mais elle fait beaucoup de mal aux autres. Est-ce que je peux être témoin de ce qu'elle fait sans réagir ? Je suis très embêtée. Je vais réfléchir sérieusement. Donne-moi un coup de main… je veux dire un peu de lumière.

Premier aspect

Les conduites violentes

L'amie de Mademoiselle P. fait partie d'un groupe qui se conduit de façon violente. Sais-tu que le mot violence vient du latin «vis» et signifie «force»? Comme tous les êtres vivants, tu as en toi cette force qui te pousse à te procurer ce dont tu as besoin pour vivre et te protéger. Tu en fais toi-même l'expérience: lorsque tu as faim, tu manges plutôt que de te laisser mourir; si tu vois un cycliste rouler dans ta direction, tu t'écartes vivement du chemin pour te protéger. Cette force est nécessaire et précieuse. C'est une force de vie.

Des abus

Cependant, il arrive que certaines personnes abusent de leur force. Elles agressent les autres, leur font peur, les blessent au plan physique ou psychologique. On parle alors de conduites violentes. Chez les jeunes de ton âge, le taxage et l'intimidation sont les formes de violence les plus répandues. Les victimes se font voler ou bousculer, sont forcées de donner de l'argent, reçoivent des menaces ou entendent de fausses rumeurs à leur sujet. Si tu es victime de taxage ou d'intimidation, tu peux reconnaître les trois caractéristiques suivantes: la personne qui te violente veut te nuire et te faire du mal; elle répète son comportement plusieurs fois; elle est plus forte que toi. Plus forte physiquement ou psychologiquement. Plus forte parce qu'elle n'agit pas seule. Comme tu vois, intimider et taxer ne veulent pas dire la même chose que taquiner ou faire une plaisanterie.

Pourquoi intimider ou taxer ?

Plusieurs raisons poussent quelqu'un à faire de l'intimidation ou du taxage. En voici quelques-unes qui te permettront peut-être de comprendre les personnes qui adoptent des conduites violentes. Des personnes font de l'intimidation ou du taxage pour :

☐ attirer l'attention. Elles veulent se donner de l'importance, gagner de la popularité et se faire remarquer. Elles souffrent peut-être d'un manque d'amour et de reconnaissance dans leur milieu ;

☐ contrôler les autres. Elles font la loi et exercent du pouvoir sur les autres. Elles s'imposent et rabaissent les autres. En faisant des menaces ou en volant, elles ont l'impression d'être puissantes. Elles se montrent dures, plus dures qu'elles ne le sont réellement. Elles ont peut-être de la difficulté à prendre leur place dans leur famille, à l'école ou avec leur groupe d'amis ;

☐ se venger. Elles cherchent à faire subir aux autres ce qu'elles ont elles-mêmes vécu. Ayant déjà été maltraitées ou négligées, ayant déjà ressenti la haine ou le mépris des autres, elles utilisent la violence à leur tour ;

☐ exprimer leur frustration. Elles n'ont peut-être pas de mots pour expliquer ce qu'elles ressentent, ce qui les chagrine ou les blesse. Incapables de dire ce qui ne va pas, elles explosent et attaquent quelqu'un sans raison, sinon pour se défouler.

Des conséquences

Quelles que soient les raisons qui poussent quelqu'un à la violence, l'intimidation et le taxage ne sont jamais acceptables. Des jeunes qui en ont été victimes racontent ce qu'ils ont ressenti.

> Mon ami se fait toujours traiter de tapette et il fait souvent rire de lui. Il n'en peut plus ! Il souffre et veut absolument déménager.
>
> Rose

Depuis que je suis à la maternelle, je me fais intimider à l'école. En éducation physique, personne ne veut m'avoir dans son équipe. Je n'ai plus confiance en moi, à l'école, mes notes ont baissé et je ne sais plus quoi faire. Mimi

Il y a deux élèves à l'école qui me disent des choses terribles. Un autre m'imite. Moi qui suis très sensible, je me mets à pleurer et mes amis me laissent là. Tout le monde rit de moi !

Ririanne

Ma grande sœur me dit toujours quoi faire. Elle veut tout diriger. Elle parle dans mon dos et raconte des mensonges à mon sujet. Elle me considère comme une nulle. Parfois, j'ai peur qu'elle ait raison.

Madeleine

Mes parents préfèrent ma sœur. Ils me punissent souvent pour des riens et me traitent de bon à rien. Je n'ose pas inviter mes amis à la maison parce que j'ai honte de ce qui se passe chez moi.

Étienne

Peux-tu donner d'autres exemples ?

Comme tu vois, l'intimidation et le taxage affectent la vie quotidienne et font beaucoup souffrir. Mimi n'a plus confiance en elle. Constamment insultée, Ririane perd l'estime d'elle-même. Elle finira peut-être par croire ce que les autres disent à son sujet. L'ami de Rose veut déménager tellement il se sent rabaissé et découragé. Étienne se sent maltraité et Madeleine est dépréciée. Imagine la vie quotidienne de tous ces jeunes : ils ont peur d'être ridiculisés, menacés ou frappés. Certains ont tellement peur qu'ils n'osent en parler à personne. Comment te sentirais-tu si tu étais victime d'intimidation ou de taxage ?

Que dit l'Évangile ?

Jésus n'a pas parlé de taxage et d'intimidation. Cependant, il a été contre tout ce qui violente une personne, c'est-à-dire tout ce qui l'abaisse et la blesse. Rappelle-toi le récit de la femme qu'on s'apprêtait à lapider. Jésus n'a pas sorti ses poings, mais a posé une seule question au groupe qui l'entourait : «Que celui qui est sans péché lui lance la première pierre» (Jean 8, 7). Tout le monde est parti en laissant tomber sa pierre. Jésus invite l'amie de Mademoiselle P. et son groupe à s'arrêter et à se poser des questions avant de poser des gestes violents. *Le soir de son arrestation, Jésus réprimande un disciple qui vient de blesser un soldat : «Remets ton épée à sa place, car tous ceux qui prennent l'épée périront par l'épée» (Matthieu 26, 52). Jésus refuse de répondre à la violence par la violence.* Selon toi, approuverait-il les conduites violentes du groupe auquel appartient l'amie de Mademoiselle P. ?

Souviens-toi de la règle d'or que Jésus a proposée. Elle est très simple : *«Fais aux autres ce que tu voudrais que les autres fassent pour toi» (Matthieu 7, 12).* Jésus invite l'amie de Mademoiselle P. à se mettre à la place des jeunes qu'elle et son groupe intimident et à se demander comment ils se sentiraient. Il les invite également à chercher pourquoi ils agissent ainsi et quels moyens prendre pour arrêter de se comporter de manière violente.

Les victimes d'intimidation et de taxage

Que faire si tu es victime d'intimidation ou si tu es témoin de conduites violentes ? Si tu subis de la violence, il est important de trouver des moyens pour t'aider à résoudre ton problème. La clé de la solution, c'est d'en parler : parler directement à la personne concernée ou à un membre du groupe qui fait de l'intimidation ou du taxage. Lors de cette conversation, dis clairement comment tu te sens. Parle à des adultes en qui tu as confiance et qui sont prêts à t'écouter. Parle à des amis et demande-leur de t'accompagner. Tu éviteras ainsi d'être une cible facile entre les mains de ceux et celles qui te font du mal.

Que dirait Jésus ?

Imagine ce que Jésus dirait aux victimes d'intimidation et de taxage ? Il leur dirait sans doute que la colère est permise… *lui-même s'est mis en colère contre les vendeurs qui avaient envahi le Temple et transformé en commerce la maison de son Père (Jean 2, 16).* La colère est un sentiment que toute personne peut ressentir et particulièrement lorsqu'il s'agit d'injustice. Il est cependant inacceptable d'exprimer sa colère de façon destructrice ou pour faire du mal.

Pendant sa vie, Jésus a aidé des personnes victimes de toutes sortes de violences, de maladies ou de handicaps. Tu te rappelles sans doute qu'il a guéri un homme paralysé, un homme victime d'une maladie qui rendait sa vie difficile. Il n'était pas responsable de ce mal. En le guérissant, Jésus lui redonne sa liberté d'action: il peut se lever, marcher et vivre pleinement sa vie (Luc 5, 25). Les jeunes qui sont victimes d'intimidation ou de taxage ressemblent à l'homme paralysé. Ils ont peur et ne sont pas libres de faire ce qu'ils veulent. Ils sont paralysés pour ainsi dire. Jésus leur conseillerait de demander de l'aide comme l'a fait l'homme paralysé. Une aide qui leur permettra de se créer une belle vie.

Un jour, Jésus propose à ses disciples une loi exigeante. Il leur demande d'aimer ceux et celles qui leur font du mal. Il leur dit: «*Aimez vos ennemis, faites du bien à ceux qui vous haïssent, bénissez ceux qui vous maudissent, et priez pour ceux qui vous maltraitent*» *(Luc 6, 27-28).* Jésus reconnaît qu'on peut avoir des ennemis, c'est-à-dire des gens qui veulent nous faire du tort. Cependant, il nous invite à les aimer, c'est-à-dire à ne pas les violenter à notre tour, mais à leur vouloir du bien. Est-ce facile ? Non, mais l'Esprit d'amour de Jésus est avec nous pour nous aider à nous ouvrir aux autres.

Jésus a laissé une grande charte du bonheur qui s'adresse à tous les disciples, ceux qui intimident et ceux qui sont intimidés. Il invite ses disciples de tous les temps à s'en inspirer dans la conduite de leur vie. Tu peux la lire dans la Bible (Matthieu 5, 1-9.43-45).

ATTENTION
AUX PIÈGES

Pas question de te laisser rabaisser et maltraiter! Ne laisse pas la peur s'installer en toi. Tu dois te confier et demander de l'aide. Ne t'isole pas. Ne tombe pas dans le piège du silence qui laisse toute la place à ceux et celles qui te font du mal. Demande-toi pourquoi on te maltraite. Demande-toi ce que tu peux faire pour te protéger.

Si tu intimides les autres, cherche pourquoi tu agis ainsi. Si tu es en colère contre quelqu'un ou quelque chose, trouve un moyen d'exprimer ta colère d'une manière constructive et sans faire de mal aux personnes.

Perçois-tu d'autres pièges ?

Pensons-y à deux fois... que dire de la violence ?

— Que retirent les agresseurs de leurs conduites violentes ?

— Que gagneraient les personnes intimidées en réagissant par la violence ?

— Que gagneraient les personnes intimidées en gardant le silence ?

— Est-ce que je devrais prendre la défense des intimidés ou me ranger du côté de mon amie ?

- Mets-toi à la place de Mademoiselle P. et réponds à chacune de ses questions.
- Jésus a parlé d'amour et de non-violence. En te basant sur ses paroles et ses gestes, imagine ce qu'il dirait à Mademoiselle P. Tu peux interroger des chrétiens et leur demander ce qu'ils en pensent.

Loyauté et amitié

«C'est mon amie depuis la maternelle, mais elle fait beaucoup de mal aux autres. Est-ce que je peux être témoin de ce qu'elle fait sans réagir?» Mademoiselle P. se sent partagée entre la loyauté envers son amie et sa conscience du mal qu'elle fait.

Il est parfois difficile de s'affirmer face à ses amis, à ses parents ou quelqu'un d'important à nos yeux. On n'ose pas parler par peur de perdre leur amitié. As-tu déjà vécu une expérience semblable?

Comme tu le sais, l'amitié est quelque chose de très précieux. Un ami, c'est quelqu'un avec qui tu te sens bien, avec qui tu as des intérêts communs et avec qui tu aimes partager. C'est quelqu'un à qui tu peux raconter ce qui te fait plaisir et ce qui te fait de la peine. C'est quelqu'un sur qui tu peux compter. Quelqu'un de loyal qui est là pour t'aider et que tu peux aider. Quelqu'un qui garde tes secrets. On peut être ami pour une ou plusieurs de ces raisons.

Loyauté et liberté

Mademoiselle P. veut être loyale envers son amie, c'est-à-dire ne rien faire dans son dos et contre elle. Cependant, la loyauté n'enlève pas la liberté. Les amis ne sont pas identiques. Ils peuvent avoir des idées différentes et avoir de petits accrochages. La plupart du temps, ils réussissent à se respecter mutuellement. Avec tes amis, tu n'as pas à renier ce qui te tient à cœur pour faire comme eux. Tu ne dépends pas de tes amis! C'est toi qui es responsable de tes paroles et de tes actes.

La loyauté envers tes amis n'enlève pas non plus ta conscience personnelle, ta capacité de distinguer ce qui est bien et ce qui est mal. Ta loyauté peut te pousser à faire des choses difficiles et courageuses. Mademoiselle P. reconnaît le mal que fait son amie. Doit-elle se taire et faire comme si elle n'avait rien vu ? Mademoiselle P. peut-elle rester loyale envers son amie tout en l'aidant à voir le mal qu'elle fait ? Que pourrait-elle faire ? Elle pourrait rencontrer son amie, lui parler et lui proposer de chercher de l'aide. Dans ce cas, quel risque court-elle ? Une telle conversation est délicate, mais son amie saurait ainsi ce qu'elle pense de la situation et comment elle se sent lorsqu'elle intimide les autres. Mademoiselle P. devrait lui parler doucement, respectueusement et sans l'accuser. Elle pourrait aussi parler aux responsables de l'école pour dénoncer son amie et le groupe auquel elle appartient. Un geste difficile. Dans ce cas, quel risque court-elle ? Si elle choisit de se taire, est-elle loyale envers son amie ? En se taisant, devient-elle en partie responsable des gestes violents que posent son amie et son groupe ?

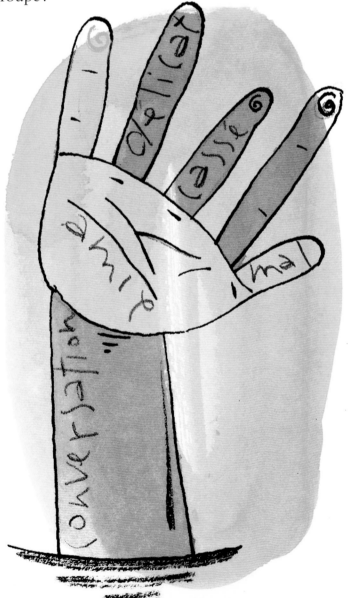

Que dirait Jésus ?

Jésus ne connaît pas Mademoiselle P., mais ses paroles lui sont adressées. Par exemple :

Soyez pleins de bonté
comme votre Père est plein de bonté.
Ne portez de jugement contre personne
et Dieu ne vous jugera pas non plus ;
ne condamnez pas les autres
et Dieu ne vous condamnera pas ;
pardonnez aux autres
et Dieu vous pardonnera.

Luc 6, 36-37

Si ton frère se rend coupable,
parle-lui sérieusement.
Et s'il regrette, pardonne-lui.

Luc 17, 3

Jésus appelle Mademoiselle P. à ne pas condamner et juger son amie, mais à se mettre à sa place. Elle est appelée à être pleine de bonté et à pardonner. Ces paroles de Jésus rappellent que nous sommes tous imparfaits et que nous avons tous droit à l'erreur. Celui ou celle qui condamne doit d'abord prendre conscience de ses propres limites.

ATTENTION AUX PIÈGES

Si tu es témoin d'un comportement violent, il est important de le déNONcer, c'est-à-dire de dire NON à tout ce qui fait du mal aux autres et à toi-même. Cependant, il est prudent de consulter un adulte en qui tu as confiance avant de le faire. Tu t'assures ainsi de ne pas te faire de mal. DéNONcer ne veut pas dire la même chose que « stooler » comme on le dit parfois. « Stooler », c'est révéler quelque chose par intérêt, par haine, par vengeance ou plaisanterie, mais sûrement pas pour aider quelqu'un. Ne tombe pas dans le piège de la fausse loyauté qui peut t'entraîner loin de ce qui te tient à cœur.
Si tu as peur de dénoncer, pense un instant à la peur de ceux et celles qu'on intimide.
Perçois-tu un autre piège ?

Pensons-y à deux fois...

Que pourrais-je faire ?

- Pourquoi est-ce que je choisirais de me taire ? Qu'est-ce que cela m'apporterait ?

- Pourquoi est-ce que je choisirais de parler ? Qu'est-ce que cela m'apporterait ?

- Quelle conduite m'inspire Jésus ? Qu'est-ce que cela exige de ma part ?

- Mets-toi à la place de Mademoiselle P. et réponds à chacune de ses questions.
- Jésus a mis ses paroles en pratique. Imagine ce qu'il dirait à Mademoiselle P. Tu peux interroger des chrétiens et leur demander ce qu'ils en pensent.

Quels sont mes choix et leurs conséquences ?

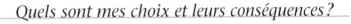

J'ai pensé et pensé encore. Voici les choix qui me semblent possibles :

- m'éloigner et ignorer ce que j'ai vu ;

- rencontrer mon amie et lui parler délicatement ;

- m'interposer entre les jeunes intimidés et le groupe qui intimide ;

- rester sur place et crier à mon amie d'arrêter en la menaçant de briser notre amitié ;

- rencontrer immédiatement les responsables de l'école et dénoncer mon amie et son groupe.

- Ai-je d'autres choix ? Si oui, lesquels ?
- Imagine les conséquences qui découlent de chacun de mes choix.

Je réfléchis à deux fois à l'aide des repères que nous avons établis, p. 7 à 11.

— **Je suis une personne consciente, libre et responsable.** Je suis consciente du mal que fait mon amie. Je suis consciente que des personnes souffrent de ses conduites violentes. Personne ne m'oblige à accepter ses conduites. Je peux prendre des moyens pour protéger les victimes de son intimidation. Pourquoi me taire? Pourquoi dénoncer?

— **Mes relations avec les autres sont très importantes.** Comment respecter mon amie tout en dénonçant sa conduite et en protégeant ses victimes? Comment aider mon amie à changer de conduite?

?
- Mets-toi à la place de Mademoiselle P. Quelle décision prendrais-tu?
- Sur quels points de repère, est-ce que tu t'appuies pour prendre cette décision?

Consommer de la drogue ou non ?

Je dois régler un gros problème !

Ces temps-ci, tout me pèse. À l'école, je n'ai pas envie d'étudier. À la maison, mes parents n'arrêtent pas de me tomber dessus. Une chance qu'il y a le tennis ! Avec mes camarades, nous nous entraînons régulièrement pour des compétitions régionales. Habituellement, je trouve ça excitant, mais j'en arrache un peu ces temps-ci. J'ai plein de tristesse en moi. Aujourd'hui, en me rendant à mon match de tennis, j'ai rencontré deux camarades de classe. Ils fumaient de la marijuana derrière un édifice abandonné. Ils avaient l'air cool, détendus. Ils m'ont offert un joint, mais j'étais déjà en retard à mon match. J'avais le goût d'essayer par plaisir en me disant qu'un peu de drogue pourrait m'aider à oublier mes difficultés. Ils m'ont donné rendez-vous ce soir. J'hésite un peu, mais je ne pense pas qu'il y a un risque à prendre de la drogue. Si je refuse, que vont-ils penser de moi ? J'ai besoin de réfléchir.

Premier aspect

Zoom sur la drogue

Des effets

Certaines drogues sont interdites par la loi (marijuana, co-caïne, héroïne). Elles peuvent être dangereuses, car elles affec-tent particulièrement le système nerveux. Les « perturbateurs » agissent sur les sens : les gens ne voient plus la réalité comme elle est et peuvent éprouver un état de bien-être temporaire. Les « dépres-seurs » ralentissent certaines fonc-tions de l'organisme : ils peuvent calmer et diminuer l'anxiété. Les « stimulants » accélèrent des fonc-tions de l'organisme : ils gardent la personne dans un état d'excitation. Ils peuvent affaiblir certaines sensa-tions comme la faim. Aucune dro-gue n'est sans conséquence !

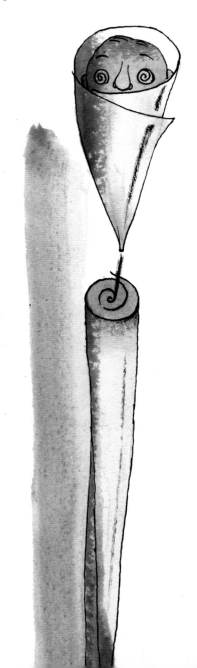

Consommer de la drogue affecte les relations interpersonnelles. Cer-taines personnes ne se sentent plus à l'aise avec des amis qui se droguent. Ne partageant plus les mêmes inté-rêts, elles ne communiquent plus comme avant. Une personne qui se drogue se met parfois à mentir pour expliquer ses allées et venues ou se procurer de l'argent. La vie peut de-venir compliquée et secrète. Il n'en faut pas plus pour que les autres perdent confiance.

Rien ne peut m'arriver. Je suis en contrôle de tout!

Des risques

Mademoiselle T. peut commencer à prendre de la drogue pour oublier ses problèmes ou avoir l'air cool, mais il est possible qu'elle s'habitue et ne soit plus capable d'arrêter. Elle devient alors dépendante de la drogue. Tu as peut-être vu des films ou des émissions de télévision à ce sujet. Tu connais peut-être des organismes qui viennent en aide aux jeunes et aux adultes dépendants de la drogue. Avant d'en arriver là, ces personnes se disaient peut-être: «une fois ou deux… et puis j'arrête». Malheureusement, elles n'arrivent pas à contrôler leur consommation et deviennent esclaves de cette habitude: elles se demandent constamment où et quand se procurer de la drogue. Elles se droguent malgré les conséquences fâcheuses qui en découlent: baisse des résultats scolaires, relations plus difficiles avec les autres, problèmes financiers et autres. Leur corps en demande toujours plus: elles doivent augmenter la dose pour obtenir les mêmes effets. Elles en ont parfois tellement besoin qu'elles sont prêtes à voler de l'argent pour s'en procurer. Elles voulaient consommer pour fuir leurs problèmes, et c'est la consommation qui devient un problème.

Il n'est pas facile d'arrêter de consommer, mais cela est possible avec de l'aide, du courage et beaucoup de persévérance. Des experts et des spécialistes (médecins, psychologues, travailleurs sociaux) sont là pour guider les jeunes et les adultes qui le veulent. Il est possible de se remettre debout même si le chemin pour s'en sortir est parfois long. Cependant, il vaut mieux prévenir et demander de l'aide avant d'en arriver là. Si tu as la tentation de prendre de la drogue, n'aie pas peur de demander conseil à quelqu'un en qui tu as confiance.

À la lumière de tout ce que tu viens de lire, comprends-tu pourquoi la drogue est illégale?

Que dit Jésus?

Jésus n'a pas parlé de drogue, mais il a toujours lutté pour libérer les gens. Un jour, il guérit un homme paralysé depuis trente-huit ans. Il le remit sur pied et fit de lui un homme libre: «Lève-toi, prends ta natte et marche» (Jean 5, 8). Aujourd'hui, Jésus lutterait contre tout ce qui peut rendre les gens esclaves, contre tout ce qui fait du mal… y compris la drogue.

Un jour, Jésus invite ses disciples à demander de l'aide s'ils en ont besoin et à faire confiance à la bonté des autres. Il leur dit: «Demandez et vous recevrez; cherchez et vous trouverez; frappez et l'on vous ouvrira la porte. Car quiconque demande reçoit, qui cherche trouve et l'on ouvre la porte à qui frappe. Y a-t-il quelqu'un parmi vous qui donne à son fils une pierre si celui-ci demande du pain? Ou qui lui donne un serpent s'il demande un poisson?» (Matthieu 7, 7-10). Jésus t'invite à frapper à la porte des gens en qui tu as confiance.

Attention aux pièges ! Essaie d'éviter 4 pièges particuliers. Un : le secret. Demande de l'aide si tu as le goût de prendre de la drogue pour une raison ou une autre. Cherche avec qui tu te sentirais bien pour en parler, quelqu'un qui te comprend et te respecte. Deux : l'ignorance. Ne te fie pas à ce que les autres disent sur la drogue. Informe-toi de ses effets réels et des risques que tu cours en consommant. Cherche de l'information sur Internet ou contacte le CLSC de ta région. Tu peux également consulter l'infirmière de ton école. Trois : la passivité. Si tu as commencé à consommer, demande-toi quels risques tu cours. Ne tombe pas dans la pensée magique en te disant que les autres peuvent devenir dépendants de la drogue, mais pas toi ! Quatre : l'insouciance. Ne pense pas que consommer de la drogue, alors qu'elle est illégale, ne peut pas avoir de conséquence.

Perçois-tu d'autres pièges ?

Pensons-y à deux fois... *Pourquoi consommer de la drogue ?*

- *Quels risques est-ce que je cours ?*
- *Quel bien est-ce que je peux en retirer ?*
- *Les avantages sont-ils plus grands que les risques ?*
- *Qu'est-ce que je peux gagner et perdre en consommant ?*

- *Mets-toi à la place de Mademoiselle T. et réponds à chacune de ses questions.*
- *Jésus a libéré les gens et dénoncé tout ce qui pouvait les écraser, les rendre esclaves. En te basant sur ses paroles et sa manière d'agir, imagine ce qu'il dirait sur la consommation de la drogue.*
Tu peux demander à des chrétiens ce qu'ils en pensent.

Deuxième aspect

Pourquoi prendre de la drogue?

Explorer

«J'avais le goût d'essayer…», affirme Mademoiselle T. Tout comme elle, tu es jeune et c'est normal que tu aies le goût d'essayer de nouvelles choses et de vivre parfois des sensations fortes. Remarque que ce n'est pas obligé non plus, mais c'est une des qualités des jeunes de faire preuve de curiosité, d'avoir de l'audace et de vouloir faire du neuf. Parfois, tu peux avoir le goût d'essayer des choses pour le «fun», c'est-à-dire sans penser aux conséquences, pour relever un défi en te disant que rien ne peut t'arriver parce que tu es jeune. Cette pensée magique peut-elle te jouer des tours?

Il peut être tentant de consommer de la drogue pour le plaisir d'explorer. Tu as peut-être entendu des gens dire qu'elle apporte un bonheur presque instantané. La drogue peut te faire voir les choses autrement ou te faire oublier tes soucis temporairement. Cependant, tu peux développer une dépendance à la drogue, c'est-à-dire ne plus être capable de t'en passer. La dépendance arrive beaucoup plus vite que l'on ne pense, surtout quand on est jeune!

Cela veut-il dire ne pas avoir de plaisir ou ne pas faire des activités pour se distraire? Bien sûr que non. Le plaisir est quelque chose d'important, ça fait partie de la vie. L'important, c'est de trouver ce qui te fait plaisir et qui ne te fait pas de tort en même temps. Il y en a qui font de l'escalade ou du cirque pour s'amuser et s'épanouir, d'autres font de la musique ou jouent aux échecs... Et toi, que fais-tu pour t'amuser?

Fêter

«J'avais le goût d'essayer par plaisir...» Certaines personnes choisissent de faire la fête en prenant de l'alcool ou de la drogue. Des abus peuvent conduire à faire des choses très regrettables. Il faut se méfier de l'ambiance et de l'influence des autres. L'impulsion, c'est-à-dire agir sans réfléchir, est rarement recommandable. Il y a certainement moyen de fêter sans boire ou se droguer. Plusieurs le font et s'en trouvent très heureux. La drogue n'est pas une garantie de plaisir.

Même dans l'Évangile, tu verras que Jésus n'a jamais été contre le plaisir: il a souvent fait la fête avec ses disciples autour de repas. Il a sûrement ri avec eux. C'est tellement bon de s'amuser entre amis. Jésus souhaite seulement que tu te tiennes debout. Il a souvent dit aux malades et aux gens qui le suivaient: levez-vous, marchez, allez de l'avant... Il t'invite à prendre conscience de ce qui te construit et à le faire.

Se sentir bien

«J'ai plein de tristesse en moi.» Te sens-tu parfois mal dans ta peau comme Mademoiselle T.? Cela peut arriver à tout le monde. À toi aussi! Tu n'es plus un enfant et tu deviens un ado. Cela provoque beaucoup de transformations dans ton corps et dans ta tête. Tu as de plus en plus le goût d'être libre et de faire les choses comme bon te semble, mais cela n'est pas toujours possible. Tu as des contraintes à la maison et à l'école. Tout comme des jeunes de ton âge, tu peux traverser des périodes où tu ne te sens pas bien dans ta peau... cela peut te donner envie de t'évader pour oublier.

Il faut alors te demander ce qui ne va pas et exprimer ce que tu ressens. Si Mademoiselle T. exprimait sa tristesse, elle dirait peut-être : «J'ai besoin qu'on m'apprécie et qu'on m'aime. J'ai besoin qu'on m'encourage et qu'on me fasse confiance. » Et toi, que dirais-tu ? Il est important de respecter ce que tu ressens. Il te sera ainsi plus facile de trouver ce qui est bon pour toi.

Qu'en dit Jésus ?

Jésus a parlé des besoins essentiels de chaque être humain. Ces besoins sont les secrets d'une belle vie, d'une vie heureuse. Il en a parlé en invitant ses disciples à les respecter :

Venez, vous qui êtes bénis par mon Père, et recevez le Royaume qui a été préparé pour vous depuis la création du monde. Car j'ai eu faim et vous m'avez donné à manger; j'ai eu soif et vous m'avez donné à boire; j'étais étranger et vous m'avez accueilli chez vous; j'étais nu et vous m'avez habillé; j'étais malade et vous avez pris soin de moi; j'étais en prison et vous êtes venus me voir. »

Matthieu 25, 34-36

Les besoins essentiels de toute personne sont simples : manger, boire, aimer et être aimé, se vêtir, se sentir en sécurité. Jésus nous invite à nous soucier des besoins des autres. En même temps, il nous aide à identifier nos propres besoins et à les combler de façon constructive.

Oublier

«Un peu de drogue pourrait m'aider à oublier mes difficultés. » La recherche du plaisir n'est pas l'unique raison qui pousse Mademoiselle T. vers la drogue. Elle cherche aussi à fuir ses problèmes. La drogue est-elle une solution ou une illusion ? Après avoir consommé, le retour à la réalité peut être très difficile d'autant plus que les problèmes ne se sont pas envolés !

Un jour ou l'autre, tout le monde vit des difficultés qui pèsent très lourd parfois. Cela peut arriver à n'importe qui. À toi aussi ! Tu peux alors avoir la tentation de les fuir. Il est sain de se distraire quand on a des problèmes ou des difficultés. On ne peut pas toujours les régler au moment où on le veut... Quelles sont les activités que tu aimes et qui peuvent t'aider à passer au travers quand tu as des difficultés ? Qui peuvent t'aider à te sentir mieux dans ta peau ? Tu pourrais les noter pour t'en souvenir et t'en servir au besoin. Quand on fait quelque chose dont on est fier, les difficultés nous apparaissent souvent plus faciles à résoudre.

Faire comme les autres

Mademoiselle T. trouve que les jeunes «avaient l'air cool, détendus». Elle aimerait se sentir comme eux et elle a peur de ce qu'ils vont penser si elle refuse leur invitation. As-tu déjà vécu un problème semblable?

Il est certainement tentant de consommer lorsque ses amis le font. En refusant de consommer, on a peur de ne plus faire partie du groupe et de ne pas avoir l'air cool. À ton âge, tu trouves peut-être important de faire partie d'un groupe et de te sentir accepté. Le secret est de rester toi-même: te respecter, c'est ne

pas «dire ou faire comme tout le monde», ne pas agir contre ton bien. Pour y arriver, il est parfois nécessaire de changer de groupe.

Jésus a-t-il suivi les autres ?

Ne t'imagine pas que tout était facile pour Jésus. Lui aussi a vécu des choses difficiles. Il a subi les critiques de ceux qui n'étaient pas d'accord avec lui. Il n'a pas réglé ses difficultés avec une baguette magique. Il est resté lui-même et a respecté ce qui était important pour lui. Tu pourrais en trouver bien des exemples. Il suffit de te rappeler ce que disaient de lui les Pharisiens qui étaient mécontents de le voir fréquenter des gens de mauvaise réputation ou de faire passer le bien-être de la personne avant les exigences de la Loi. Combien de fois se sont-ils réunis pour préparer son arrestation et sa condamnation? Deux jours avant la fête de la Pâque, les «chefs des prêtres et les maîtres de la Loi cherchaient un moyen d'arrêter Jésus en cachette et de le mettre à mort» (Marc 14, 1). Jésus le savait et continuait malgré tout à respecter ses choix. Il lui a certainement fallu du courage pour ne pas «faire comme tout le monde»!

ATTENTION AUX PIÈGES

Tes amis peuvent te faire sentir que tu es à part, ou que tu es comme un extra-terrestre, si tu ne consommes pas de drogue ou si tu ne veux pas essayer. Des amis peuvent t'encourager en disant qu'«il n'y a rien là! Juste essayer, ça ne fait pas de mal.» Ils peuvent jouer sur ta confiance en toi ou te faire sentir qu'ils te rejettent. Évite ce piège. Personne ne peut te forcer à faire quelque chose que tu ne veux pas, quelque chose qui ne correspond pas à ton bien-être. Prends le temps de te demander qui sont tes vrais amis, ceux qui te veulent du bien. Est-ce que «faire comme les autres» est une raison suffisante pour consommer de la drogue? Le plus important est de chercher pourquoi tu veux prendre de la drogue, quelles sont tes motivations.

Perçois-tu d'autres pièges ?

Pensons-y à deux fois... Pourquoi est-ce que je veux prendre de la drogue ?

- Est-ce parce que je veux éprouver du plaisir ?
- Est-ce pour fuir mes difficultés ?
- Est-ce parce que quelqu'un me force à le faire ?
- Est-ce pour me sentir mieux ?
- Est-ce pour ne pas me sentir à part ?
- Quels avantages et quels inconvénients y a-t-il pour moi à consommer de la drogue ?

- *Mets-toi à la place de Mademoiselle T. et réponds à chacune de ses questions.*
- *Jésus n'était pas contre le plaisir. Il a fait face à ses difficultés et respecté ses convictions. En te basant sur ses paroles et sa manière d'agir, imagine ce qu'il dirait sur tes motivations à prendre de la drogue. Tu peux demander à des chrétiens ce qu'ils en pensent.*

Quels sont mes choix et leurs conséquences ?

Voici ce que je pense. Je peux :
- prendre de la drogue pour satisfaire ma curiosité ;
- prendre de la drogue pour me procurer du plaisir ;
- prendre de la drogue pour oublier mes difficultés ;
- prendre de la drogue pour faire comme les autres ;
- refuser d'en prendre et chercher des moyens pour résoudre mes problèmes ;
- refuser d'en prendre et découvrir des activités constructives qui attirent ma curiosité ;
- parler de mon problème à quelqu'un en qui j'ai confiance.

- *Ai-je un autre choix ? Si oui, lequel ?*
- *Imagine les conséquences qui découlent de chacun de mes choix.*

Je vais relire nos repères, p. 7 à 11, pour m'aider à voir ce que je veux vraiment.

— **Je suis une personne consciente, libre et responsable.**
Personne ne m'oblige à consommer de la drogue ni à refuser d'en prendre. Pourquoi est-ce que je consommerais de la drogue ? Pourquoi est-ce que je refuserais ? Quelles conséquences ce choix pourrait avoir sur ma vie, sur ma propre appréciation de moi-même, sur ma liberté ?

— **Mes relations avec les autres sont très importantes.**
Quelles conséquences mon choix pourrait avoir sur les autres ? En quoi consommer de la drogue ou refuser d'en prendre, pourrait-il affecter la vie des autres ?

?
- Mets-toi à la place de Mademoiselle T. Quelle décision prendrais-tu ?
- Sur quels points de repère est-ce que tu t'appuies pour prendre cette décision ?

Je rêve d'amour

1 PROBLÈME

J'ai un problème de cœur !

Jeudi

C'est bizarre, mais depuis quelque temps, je regarde beaucoup les filles. L'année dernière, elles ne m'intéressaient pas du tout. La fille qui m'attire le plus est très spéciale. J'aime beaucoup être avec elle. J'ai des copains, mais ce n'est pas pareil. Avec elle, je peux me confier et lui dire comment je me sens depuis la séparation de mes parents. Elle me raconte son rêve d'aller visiter ses grands-parents en Italie. On se comprend tous les deux. J'ai peur qu'elle me laisse tomber.

Vendredi

J'ai couru pour rejoindre ma « blonde », mais ce que j'ai vu m'a brisé le cœur. Alex et elle marchaient main dans la main comme deux amoureux. Je suis devenu rouge comme une tomate… rouge de colère contre Alex qui m'a volé ma « blonde » et contre elle qui m'a donné l'impression de m'aimer. Je me suis senti moins que rien. Qu'est-ce qu'Alex a de plus que moi ? Je me sens mal. L'amour, c'est fini pour moi ! Je vais mettre mon cœur sous clé. Aide-moi à y voir clair…

Premier aspect
Le besoin d'aimer

Une force

« Je vais mettre mon cœur sous clé », dit Monsieur B. Il va sans doute avoir de la difficulté à tenir parole! Depuis qu'il est tout petit, il a besoin d'aimer et d'être aimé. Toi aussi! Imagine un peu… Dans le ventre de ta mère, tu flottais dans l'amour. Tu faisais « un » avec elle. Elle te portait, assurait ton bien-être et t'aimait sans même te connaître. Tu n'éprouvais aucune frustration : ni faim, ni soif, ni colère, ni peur, ni déception. Tu filais le parfait bonheur. Un vrai paradis! Même si tu n'as pas de souvenir précis de ces neuf mois passés bien au chaud, tout ton être s'en souvient. Depuis le jour de ta naissance, tu cherches à retrouver ce bien-être. Il en est de même pour tes amis, tes parents ou tes grands-parents. Qu'on habite en Amérique ou en Afrique, qu'on soit jeune ou vieux, on aimerait revivre ce paradis d'harmonie et de tranquillité.

Le paradis préfabriqué n'existe pas et ne se vend pas au magasin du coin! Cependant, ton besoin d'amour et d'amitié te permet de le construire petit à petit. Cette force qui est en toi te pousse vers les autres pour les rencontrer et les connaître. Des jeunes de ton âge commencent à chercher quelqu'un qui leur plaît, quelqu'un qui peut vraiment les comprendre. Monsieur B. en fait l'expérience: «J'aime beaucoup être avec elle. Je peux me confier et lui dire comment je me sens...». Vis-tu cette expérience?

Jésus a-t-il parlé d'amour?

Jésus a compris le cœur humain. Pendant sa vie, il a porté attention aux autres et cherché à répondre à leur besoin profond d'amour et d'amitié. Un jour, il a raconté une parabole très touchante pour parler de Dieu, son Père. Tu peux la lire dans l'Évangile (Luc 15, 11-32). Il est question d'un père qui attend son plus jeune fils parti au loin avec son héritage. Il s'inquiète et espère son retour. Un jour, il le voit venir. Devinant sa peine, il lui ouvre ses bras sans poser de condition et prépare même une fête en son honneur. Ce père a le cœur sur la main! Ce père, c'est Dieu. Un Dieu prêt à accueillir tout le monde: les gens de bonne et de mauvaise réputation; les riches et les pauvres; ceux et celles qui se conduisent bien et moins bien. Un Dieu qui donne sans rien demander en retour. Un Dieu qui s'intéresse à toi comme le dit ce psaume que Jésus priait avec les croyants de son temps:

> *Dieu, tu me sondes et me connais;*
> *que je me lève ou m'assoie, tu le sais,*
> *tu perces de loin mes pensées:*
> *que je marche ou me couche, tu le sens,*
> *mes chemins te sont familiers.*
>
> *Psaume 139, 1-2*

Comme tu vois, les croyants ont pris des mots simples pour parler de l'incroyable amour de Dieu. Jésus t'invite à mettre ta confiance en Lui tout en sachant que la foi n'est pas une baguette magique qui enlève les difficultés. La foi te permet de vivre tes peines et tes joies en présence de Dieu, de t'appuyer sur lui comme sur un roc. Au fond de ton cœur, il te dit: «Je suis avec toi.» Pour les croyants, Dieu répond à ce besoin profond d'aimer et d'être aimé.

Une peur

«J'ai peur qu'elle se choque et me laisse tomber», dit Monsieur B. Comme tout le monde, tu éprouves cette peur d'être

mis de côté. Essaie de te souvenir… Lorsque tes parents partaient, tu te mettais à pleurer: tu avais peur qu'ils ne reviennent pas. Les personnes âgées éprouvent cette même peur. Lorsque tu les visites, ne te surprends pas si elles te serrent très fort dans leurs bras ou si elles retiennent longtemps tes mains. Elles te disent ainsi leur désir de te garder près d'elles. Le besoin d'aimer et d'être aimé n'a pas d'âge.

Comme tout le monde, Monsieur B. veut être le «préféré» de quelqu'un. Déçu, il se demande: «Qu'est-ce qu'Alex a de plus que moi?» Il aimerait être le préféré de celle qu'il croyait être sa «blonde». Cela t'est-il déjà arrivé?

Une ouverture

Parfois, le manque d'estime de soi peut nuire au besoin d'aimer et d'être aimé. Tu connais peut-être des jeunes qui se trouvent laids, pas intelligents, pas bons, pas populaires, etc. Ils pensent toujours que les autres sont meilleurs et plus intéressants qu'eux. Ne s'aimant pas eux-mêmes, ils ont tendance à se fermer à double tour pour se protéger et éviter d'avoir de la peine. Il t'arrive peut-être de manquer de confiance en toi de temps en temps. N'hésite pas à demander de l'aide si cela t'arrive trop souvent. Il est important de te dire et te redire à toi-même que tu es une personne digne d'être aimée avec tes qualités et tes défauts, tes talents et tes limites.

Que dit l'Évangile?

Rappelle-toi la parole de Marie, la mère de Jésus: «Dieu le tout-puissant a fait pour moi des choses magnifiques. Il est le Dieu Saint… » (Luc 1, 49). Tu peux reprendre ces mêmes paroles car tu es une personne importante pour Dieu. L'amour de soi fait partie du code d'amour des disciples de Jésus. Si tu as de l'affection pour toi, tu pourras davantage respecter tes besoins et ceux des autres. Il te sera plus facile de t'ouvrir aux autres. Rappelle-toi le poème de la Création dans lequel les croyants reconnaissent que l'homme et la femme sont créés à l'image de Dieu. Cela signifie que tu es une personne remplie de dignité. Voilà une raison de plus pour t'apprécier et faire attention à toi.

ATTENTION AUX PIÈGES

Ton besoin d'aimer et d'être aimé est si fort qu'il peut te pousser à envahir la personne que tu aimes. Tu te mets alors à agir comme si elle t'appartenait : tu l'appelles constamment, tu veux tout savoir et tout faire avec elle. Tu voudrais la garder près de toi par tous les moyens. C'est impossible ! Chaque personne a un jardin secret et est libre de faire ses choix. Toi aussi. Tu ne peux même pas empêcher les autres de souffrir. Lorsque tu as du chagrin, tes amis peuvent te consoler, mais ne peuvent pas vivre ta douleur à ta place. En amour et en amitié, tu as besoin de te retrouver et de faire des choses pour toi. Il en est de même pour la personne que tu aimes.

Perçois-tu d'autres pièges ?

Pensons-y à deux fois... Pourquoi est-ce que je veux me fermer ?

– Ai-je raison de penser que je peux vivre sans amour ?

– Ai-je peur de quelque chose ? Si oui, de quoi ?

– Suis-je capable de m'apprécier moi-même ?

– Qu'est-ce que je peux gagner et perdre en m'ouvrant aux autres ?

- Mets-toi à la place de Monsieur B. et réponds à chacune de ses questions.
- Jésus a aimé les autres et a parlé de l'amour infini de son Père. Il a compris les besoins du cœur humain. Lui-même a vécu des peines et la peur de faire face tout seul à la mort. En te basant sur ses paroles et sa manière d'agir, imagine ce qu'il dirait sur le besoin d'aimer et d'être aimé. Tu peux demander à des chrétiens ce qu'ils en pensent.

Deuxième aspect

La relation à l'autre

L'acceptation de soi

Tu te fais peut-être déjà dire : « Comme tu as grandi ! On ne te reconnaît plus ! ». C'est vrai que ton corps change et se transforme. Lorsque tu te regardes dans le miroir, es-tu à l'aise avec ton nouveau « look » ? Comme bien d'autres, tu aurais peut-être le goût d'améliorer quelque chose : être plus mince, avoir un nez plus fin, de plus grosses lèvres et quoi encore. Personne n'est parfait ! Cela prend parfois du temps pour s'habituer à sa nouvelle apparence physique et au regard des autres sur soi. N'oublie pas que tu n'as pas besoin de ressembler à une vedette de cinéma ou à un as du sport pour être bien dans ta peau. Il importe avant tout de t'accepter et de te dire à toi-même « Voilà, c'est moi ! Je suis comme ça. »

Le corps dit quelque chose de toi. Il parle d'où tu viens : tu ressembles peut-être à ta grand-mère ou à ton oncle ; tu réagis comme ton père ou tes cousins ; tu as la démarche de ta mère ou de ton grand-père. Ton corps laisse aussi voir ce que tu penses et ce que tu ressens : l'expression de ton visage exprime ton accord ou ton désaccord, ta tristesse ou ta joie, ton inquiétude ou ta confiance. Ton corps peut se fermer à tout contact : pas de poignée de main, pas de câlin. C'est toi qui donnes vie à ton corps, c'est toi qui le fais bouger et parler comme tu veux. Ton corps, c'est toi : tu respires, tu sens, tu goûtes, tu écoutes, tu regardes, tu touches. Cependant, tu es aussi un cœur et un esprit : tu es capable d'émotion et de réflexion. Tu peux prier et entrer en relation avec quelqu'un que tu ne vois pas. Tout est relié en toi. Es-tu d'accord avec cette façon de te voir ?

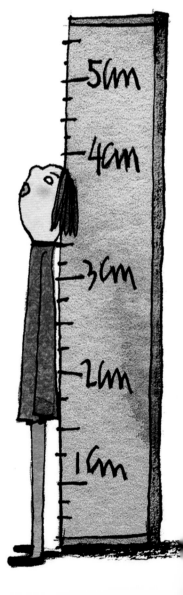

L'attrait vers l'autre

«Depuis quelque temps, je regarde beaucoup les filles et je pense souvent à elles. L'année dernière, elles ne m'intéressaient pas du tout», dit Monsieur B. À un moment ou l'autre, les garçons et les filles désirent rencontrer quelqu'un qui peut les comprendre et les apprécier, quelqu'un qui les attire physiquement, quelqu'un dont ils aiment le visage, les yeux, la voix, le sourire, la présence. Cet attrait ou cet élan vers l'autre est vieux comme le monde! Un jour, il y a eu une étincelle dans les yeux de tes arrière grands-parents, de tes grands-parents et ainsi de suite. De tout temps, les gens ont voulu partager leur intimité.

Cependant, cet attrait n'enlève pas ta liberté. Contrairement aux animaux, tu peux contrôler cette force ou cet élan qui est en toi. Tu n'es pas une marionnette. C'est toi qui décides!

La communication

Pour créer un lien solide entre eux, le garçon et la fille ont bien des choses à apprendre l'un de l'autre. L'amour est fait de communication, de respect, de bonne entente et de pardon. Aimer une personne c'est accepter sa différence... même si cela est parfois difficile. Comment y arriver? Un des secrets est d'exprimer ce que tu penses et ce que tu ressens. Si tu n'aimes pas la mayonnaise et que tu ne le dis pas, tu risques de devoir en manger malgré toi. L'autre ne peut pas deviner. Lorsque tu vis des difficultés, il est important de les exprimer: parler à l'autre permet de mieux se connaître. Cela demande du temps.

Tu peux aussi communiquer avec des gestes et des regards: un sourire, un baiser, une poignée de main, un clin d'œil. Cependant, il faut que tes gestes soient vrais, qu'ils expriment ce que tu ressens. Tu es responsable de ce que tu dis et fais. Comment exprimer ton affection? Comment savoir si quelqu'un t'aime? Il n'y a pas de truc magique, mais il y a des signes qui ne trompent pas. Par exemple: tu cherches à faire plaisir à l'autre; tu ne poses pas de question qui pourrait lui faire de la peine inutilement; tu respectes l'autre et tu cherches à connaître ses goûts et ses intérêts. Cela demande aussi du temps.

Pendant sa vie, Jésus a manifesté beaucoup d'attention envers les autres. Il a exprimé sa tendresse et sa compassion à maintes reprises, comme le jour où il a consolé la veuve qui s'en allait enterrer son fils unique (Luc 7, 12-13). Le chagrin de cette femme l'a profondément touché. Il s'est aussi approché des gens mis de côté, des gens pointés du doigt comme Zachée chez qui il s'est invité. Jésus invite au pardon. Le pardon fait partie de l'amour. Il est rare d'aimer sans se blesser : on dit des paroles blessantes, on ne prend pas soin de l'autre, on fait des promesses qu'on ne tient pas. Notre amour a des limites. Combien de fois faut-il pardonner ? Autant de fois que nécessaire, soit 70 fois 7 fois, dit Jésus. Pardonner est difficile, mais cela permet de se parler et de repartir sur de nouvelles bases. Jésus a fait ce qu'il a dit, en pardonnant à ses bourreaux (Luc 23, 33-34). Avant de mourir, il a dit à ses disciples : «Demeurez en mon amour» (Jean 15, 9). Il nous invitait ainsi à aimer à sa manière, c'est-à-dire sans dominer les autres et les maltraiter, mais en les respectant et en les traitant avec dignité.

Ma nouvelle flamme !

ATTENTION AUX PIÈGES

Comme tout le monde, tu as besoin de compter pour quelqu'un, et de partager. Ne tombe pas dans le piège de l'intolérance. L'autre est différent de toi, l'autre a ses propres aspirations. N'essaie pas de le faire à ton image. N'oublie pas aussi d'exercer une grande tolérance envers toi-même : accepte tes limites et développe tes forces. Perçois-tu d'autres pièges ?

Réfléchissons sérieusement. Pourquoi est-ce que je veux avoir une « blonde » ?

— Est-ce pour me sentir bien ?

— Est-ce pour me prouver que je suis aimable ?

— Est-ce parce que j'en ai vraiment le désir ?

— Est-ce pour faire comme tout le monde ?

— Est-ce pour partager avec quelqu'un qui me comprend ?

- Mets-toi à la place de Monsieur B. et réponds à chacune de ses questions.
- Jésus n'a pas parlé des relations amoureuses. En te basant sur ses paroles et sa manière d'agir, imagine ce qu'il dirait à ce sujet. Tu peux demander à des chrétiens ce qu'ils en pensent.

Quels sont mes choix et leurs conséquences ?

Selon moi, j'ai plusieurs choix. Je peux :

— rencontrer ma « blonde » et lui déclarer mon amour ;

— faire une colère à Alex et m'imposer auprès de ma « blonde » ;

— m'enfermer en moi-même et ne plus voir les autres filles ;

— avoir l'œil ouvert pour rencontrer quelqu'un qui me convient ;

— me donner du temps pour apprendre à me connaître, connaître l'autre et communiquer.

- Ai-je un autre choix ? Si oui, lequel ?
- Imagine les conséquences qui découlent de chacun de mes choix.

Je vais relire nos repères, p. 7 à 11, pour m'aider à voir ce que je veux vraiment.

— **Je suis une personne consciente, libre et responsable.** Rien ne m'oblige à avoir un « chum » ou une « blonde ». Personne ne m'oblige à dire ce que je ne pense pas et à poser des gestes qui ne sont pas vrais. Quelles conséquences mon choix pourrait avoir sur ma vie ?

— **Mes relations avec les autres sont très importantes.** Quelles conséquences mon choix pourrait avoir sur les autres ? M'imposer auprès d'Alex et de ma « blonde » pourrait-il affecter ma vie avec les autres ?

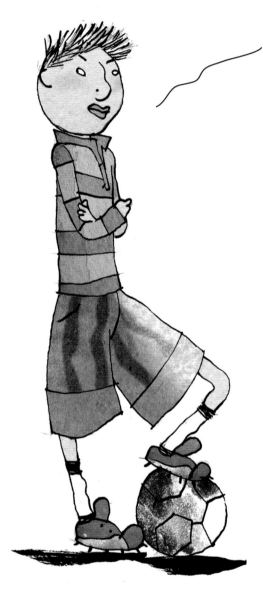

- Mets-toi à la place de Monsieur B. Quelle décision prendrais-tu ?
- Sur quels points de repère est-ce que tu t'appuies pour prendre cette décision ?

TU CHERCHES UNE SOLUTION ?

Si tu as un problème à régler, n'oublie pas d'utiliser la démarche que nous t'avons proposée. Elle est simple et peut t'aider à voir plus clair.

Tu peux nous croire car nous sommes des grands spécialistes en résolutions de problèmes.

☑ 1. **Quel est mon problème?**

☑ 2. **Quels sont les aspects du problème?**

☑ 3. **Quels sont les choix qui s'offrent à moi et leurs conséquences?**

☑ 4. **Qu'est-ce que je veux vraiment? Quelle serait la meilleure décision? Sur quels repères est-ce que je m'appuie pour prendre cette décision?**

1 PROBLÈME   **2** ASPECTS   CHOIX **3**   DÉCISION **4**

TABLE DES MATIÈRES

Quelques clés du bonheur 7

Des chaussures à la mode 13

De l'eau à profusion? 19

Je veux un nouveau cellulaire! 31

Encore une dispute! 39

La guerre ou la paix? 47

Je n'ai plus le goût! 57

J'en ai assez d'être mis de côté! 67

Des menaces et des insultes 77

Consommer de la drogue ou non? 89

Je rêve d'amour 101